Fabbricato in Italia

An Italian varieties reader

Daniela Cancellotti
Cristina Zanoni

Edizioni Guerra

Fabbricato in Italia

Indice

Fonti

Unità 1 (d) Il Messaggero 8/11/81

Unità 5 (a) Automobile Club Italiano (c) Ente Turismo di
Gresta

Unità 8 (a) La Repubblica A 17/10/81 B 8/10/81 C 25/9/81
E 3/10/81 F 18/9/81
L'Espresso G 25/10/81
Il Messaggero D 3/4/82
(b) Il Messaggero 8/7/81

Unità 9 (a) La Repubblica G 22/3/82
Il Resto del Carlino A 10/3/82 E,F 22/3/82
Il Messaggero B 23/3/82
Il Corriere della Sera C,D 15/3/82

Unità 10 (a) (b) (c) (d) Il Messaggero 4/5/81
(e) L'Espresso 11/4/82

Unità 11 (a) Il Resto del Carlino 2 21/11/81 1,3,4,6 16/11 81
La Repubblica 5,6 21/11/81

Unità 12 (a) Il Giornale 6/8/81
(b) L'Espresso 18/10/81

Unità 13 (a) La Repubblica 23/3/82, L'Espresso 11/10/81
(b) La Repubblica 21/7/81

Unità 14 (a) Grazia 12/4/81
(b) (c) Il Messaggero 8/7/81
Leggete . . . Il Messagero 8/9/81

Unità 15 (a) Oggi 1 22/7/81
Il Resto del Carlino 2 10/12/81
Il Messaggero 3 23/11/81 4 5 20/11/81

To the reader

Fabbricato in Italia is designed to develop quick and efficient reading and comprehension of written Italian in various forms. In this book you'll find authentic texts such as: newspaper articles, pamphlets, music and cinema programmes, train timetables, recipes, holiday brochures and so on. You are encouraged to read and understand without translating into your own language. Apart from this introduction everything in the book is in Italian! By working through the book, you will learn about present-day Italian life and it will help prepare you for a visit to Italy.

How the book is organised

The book is made up of two parts, the first slightly easier than the second. The first part of seven units covers general topics such as holidays, hotels and restaurants, using a variety of printed matter including advertisements. The second deals with specific types of newspaper items such as sports, correspondence and reviews. There is a general introductory note on the Italian Press on page xi.

Each unit contains numerous exercises which require you to use different reading techniques. The activities you will be involved with include: general comprehension, eliciting specific information, extending vocabulary, discussion and written production. (Answers to the exercises appear at the end of the book – some exercises do not have precise answers but are designed to encourage group discussion.)

Reading techniques

Different types of written material are tackled in different ways in Italian just as they are in your first language. You would obviously not read a train timetable in the same way as you would a book review or a job advertisement.

Each exercise in this book makes clear which of the three following techniques should be used to read the texts: *scorri, leggi, leggi attentamente.*

Scorri: asks you to read an item very briefly to find out what it is about by means of key-words or phrases.

Leggi: asks you to read swiftly to elicit specific information. It is important to read the questions carefully to find out what information is required and then to read the article quickly without worrying about the meaning of every single word.

Leggi attentamente: involves careful, precise reading for detailed comprehension of the text to allow for discussion and criticism of the material.

All the texts should be read silently and you should set a time limit for each piece.

Don't forget that comprehension does not depend on individual words, so don't hesitate over unknown words but try to deduce them from other elements in the text.

Further activities

You may like to try the following:
— List words in the text belonging to the same semantic area.
— Discuss the social and cultural aspects of Italian life which emerge from the text.
— Invent exercises for fellow students based on the material in the book.
— See if you can spot the odd printing error in the authentic material used in this book.

Ai lettori

Fabbricato in Italia vi dà l'opportunità di migliorare la lettura e la comprensione di testi italiani, usando materiali autentici quali: articoli di giornali, opuscoli, programmi di spettacoli, orari ferroviari, ricette. Per lettura s'intende sempre una lettura silenziosa che porti alla comprensione del testo senza il tramite della traduzione. Vi verrà richiesto di leggere per trovare delle informazioni, per confrontare opinioni diverse, per divertirvi, per preparare un piatto di cucina, per risolvere dei giochi.

Il materiale di lettura è stato scelto tenendo in considerazione sia i vostri interessi personali: articoli culturali, sportivi, di cronaca etc., sia argomenti più generali che possono essere utili a chi già vive in Italia o ha intenzione di farvi un viaggio: liste di alberghi, menù, opuscoli per vacanze etc.

I testi usati sono quindi molto vari e sono stati sfruttati, oltre che come materiale di lettura, anche per attività complementari per esercitare la produzione orale e quella scritta.

Organizzazione del testo

Il libro è suddiviso in due parti ed è composto di 16 unità e due sezioni di giochi. La prima parte comprende 7 unità che presentano argomenti generici quali: vacanze, informazioni turistiche, alberghi e così via, e dà modo di fare esercizi partendo da una vasta gamma di materiale autentico che dovrete decodificare anche attraverso illustrazioni e simbologie. La seconda parte comprende 9 unità. Ogni unità presenta un particolare settore dei quotidiani: notizie dall'estero, sport, pagina culturale, pagina umoristica, etc.
Informazioni riguardo alla stampa italiana ed un elenco molto sintetico dei principali quotidiani italiani sono a pagina xi.

Lo scopo primario degli esercizi è di aiutarvi a leggere ed a comprendere più efficacemente la lingua italiana. In ogni unità, a seconda dei testi usati, sono stati organizzati esercizi diversi che richiedono diverse tecniche di lettura.

Le attività principali consistono in: comprensione generica del testo, ricerca di informazioni specifiche, arricchimento lessicale, comprensione e rielaborazione personale. Nelle ultime pagine del libro sono contenute le soluzioni degli esercizi. Si precisa che alcuni esercizi non hanno risposte esatte, ma sono stati preparati appositamente per sollevare discussioni all'interno della classe.

Tecniche di lettura

È importante sottolineare a questo punto che materiali diversi vengono letti a velocità diverse anche nella madrelingua, per esempio: un orario ferroviario va letto diversamente da una recensione o da una pubblicità.

Nell'intestazione degli esercizi troverete i verbi: *scorri*, *leggi*, e *leggi attentamente* che implicano tre diverse tecniche di lettura.

Scorri: richiede una lettura molto veloce, tale da permettervi di scoprire attraverso parole o frasi chiave quale argomento tratta un particolare articolo o testo.

Leggi: richiede sempre una lettura veloce con lo scopo di trovare informazioni specifiche. In questo tipo di esercizi è importante leggere attentamente le domande e sapere perfettamente quali informazioni cercare e poi velocemente leggere l'articolo o gli articoli senza soffermarsi sul materiale non direttamente collegato alle informazioni richieste.

Leggi attentamente: richiede invece un tipo di lettura approfondita, una comprensione dettagliata del testo, che vi permetta di affrontare successivamente esercizi di rielaborazione critica, confronti e discussioni.

Tutti i testi dovrebbero essere letti silenziosamente e con dei limiti di tempo prestabiliti per ogni tipo di testo. Non dimenticatevi che la comprensione non dipende da singole parole, quindi non bloccatevi di fronte ad un vocabolo sconosciuto ma cercate di dedurne il significato usando altri elementi presenti nel testo.

Ulteriori attività

Oltre alle attività proposte nel libro potreste provare a:
— Raccogliere le parole di un testo che appartegono alla stessa area semantica.
— Discutere gli aspetti sociali e culturali della vita italiana che emergono dal testo.
— Inventare voi stessi degli esercizi basandovi sul materiale contenuto nel libro.
— Scoprire alcuni errori di stampa inevitabilmente presenti nel materiale autentico usato nel libro.

La stampa italiana

La maggior parte del materiale di lettura usato in questo libro è stato tratto da quotidiani e riviste italiani.

Lo schema qui sotto, aggiornato nei limiti del possibile, elenca i quotidiani più venduti in Italia. Per quotidiani s'intendono quei giornali che escono tutti i giorni. Nello schema è stato riportato per ogni quotidiano l'anno di fondazione e la città in cui il giornale viene stampato.

I quotidiani sono stati suddivisi in 'Quotidiani di informazione generale' che non appartengono dichiaratamente a nessun partito, in 'Quotidiani di partito' e 'Quotidiani sportivi'. I quotidiani possono essere a diffusione nazionale o interregionale (con informazioni che riguardano in particolare la regione in cui il giornale viene stampato).

Altro tipo di giornale è la rivista settimanale. Le riviste settimanali possono essere suddivise secondo i contenuti:

- 'L'Espresso' 'Panorama' 'Europeo' sono settimanali che trattano problemi politici, economici e culturali.
- 'Amica' 'Grazia' 'Gioia' 'Annabella' sono settimanali di moda, attualità, cucina, arredamento e sono per lo più letti da un pubblico femminile.
- 'La Settimana Enigmistica' 'Quiz' 'Facili cruciverba' sono settimanali umoristici con giochi e barzellette.

Quotidiani di informazione generale		
Il Resto del Carlino	(1855)	Bologna
La Nazione	(1859)	Firenze
Corriere della Sera	(1876)	Milano
Il Messaggero	(1878)	Roma
La Stampa	(1894)	Torino
Il Tempo	(1944)	Roma
La Notte	(1952)	Milano
Il Giorno	(1956)	Milano
La Repubblica	(1976)	Roma

Quotidiani di partito			
Il Popolo	(1923)	Roma	Democrazia Cristiana
Avanti	(1896)	Roma-Milano	Partito Socialista Italiano
L'Unità	(1921)	Roma-Milano	Partito Comunista Italiano
Il Secolo d'Italia	(1952)	Roma	Movimento Destra Nazionale

Quotidiani sportivi		
La Gazzetta dello Sport	(1896)	Milano
Corriere dello Sport	(1916)	Roma
Tutto Sport	(1945)	Torino

PARTE PRIMA

Informazioni turistiche

Leggi le seguenti informazioni turistiche tratte dall'elenco telefonico della città di Assisi e poi fa' gli esercizi 1, 2.

assisi ELENCO DELLE VIE E NOTIZIE SULLA CITTÀ

La città del Patrono d'Italia, San Francesco, è anche una delle capitali del turismo religioso; adagiata sulle pendici del monte Subasio, Assisi è un antico centro fondato dagli Umbri, cui succedettero Etruschi e Romani. La fisionomia attuale è ancor quella acquisita nel Medioevo quando si costituì in libero comune, con case fatte con la pietra del Subasio, strade strette e ripide, fontane e fiori alle finestre. Oltre all'anfiteatro romano e al tempio di Minerva, quasi tutti i monumenti di Assisi sono legati alla figura di San Francesco; è indispensabile la visita della Basilica, formata da due chiese sovrapposte, che racchiude, tra gli altri, affreschi attribuiti a Giotto, a Cimabue e a Simone Martini. Vi è poi il Duomo, la Rocca Maggiore, la Chiesa di Santa Chiara, quella di San Pietro e, a pochi chilometri, l'Eremo delle Carceri. L'economia è quella propria di un centro turistico; non mancano tuttavia alcune industrie. La Festa Patronale di San Rufino si celebra l'11 di agosto. Celebrazioni in onore di San Francesco il 4 ottobre. Cerimonie religiose durante tutta la Settimana Santa. Festa del Voto, a ricordo della cacciata dei Saraceni il 22 giugno. Festa di Santa Chiara il 12 agosto. Calendimaggio dal 30 aprile al 1° maggio. Fiere il 17 gennaio, 29 luglio, 5 ottobre. Mercato il sabato.

Superficie: 186,8 Kmq. - **Altitudine:** m. 424 s.l.m. - **Popolazione:** abit. 24.002 - **Frazioni e Località:** Armenzano, Castelnuovo, Costa di Trex, Mora, Palazzo, Paradiso, Petrignano, Pianello, Pieve San Nicolò, Porziano, Rivotorto, Rocca Sant'Angelo, San Gregorio, Santa Maria degli Angeli, Santa Maria di Lignano, San Vitale, Sterpeto, Torchiagina, Tordandrea, Tordibetto. **INDIRIZZI UTILI: Pronto Soccorso:** presso Ospedale Civile, v. San Francesco 15, tel. (075) 81 22 08/81 22 45 - **Carabinieri:** Pronto Intervento, tel. (075) 81 30 44; p. Matteotti 3/b, tel. (075) 81 23 76 - **Pubblica Sicurezza:** Soccorso Pubblico, tel. 113; p. del Comune 6, tel. (075) 81 22 15/81 28 60 - **Municipio:** p. del Comune, tel. (075) 81 22 19/81 23 85 - **Vigili Urbani:** p. del Comune, tel. (075) 81 28 65 - **Vigili del Fuoco:** vl. Umberto I, tel. (075) 81 22 22 - **Poste e Telegrafi:** p. del Comune, tel. (075) 81 23 55 - **ENEL:** Dipartimento di Zona a S. Maria degli Angeli, tel. (075) 81 94 39 - **Azienda Autonoma di Soggiorno e Turismo:** p. del Comune 12, tel. (075) 81 25 34 - **Taxi:** p. San Francesco, tel. (075) 81 26 06; p. S. Chiara, tel. (075) 81 26 00 - **SIP:** Uffici Commerciali a Perugia, v. Mazzini 5, tel. 187.

Esercizio 1 ⓐ

Rispondi alle domande.

(a) Da quali popoli è stata abitata Assisi?
(b) Quali sono i monumenti più importanti della città?
(c) Che cosa viene conservato all'interno della Basilica?
(d) Su che cosa è basata l'economia di questa città?
(e) In quale stagione si svolge la festa del Calendimaggio?
(f) Quali numeri telefonici sono utili in caso di un incidente stradale nella zona di Assisi?
(g) Quale numero telefonico è utile in caso di incendio?
(h) Dove è situato l'ufficio postale?

NB Il Calendimaggio è una delle feste tradizionali umbre. L'intera cittadina riprende in questa occasione la sua fisionomia medioevale.

Esercizio 2 [a]

Prepara un elenco di notizie ed informazioni della città in cui vivi, specificando:
— brevi cenni storici
— monumenti interessanti da visitare
— particolari feste, fiere, mercati
— lista di indirizzi utili

Esercizio 3 [b]

I segnali stradali qui riportati sono stati tratti da un manuale di scuola guida.

Trova per ogni segnale stradale la giusta definizione.

Es. 2-a

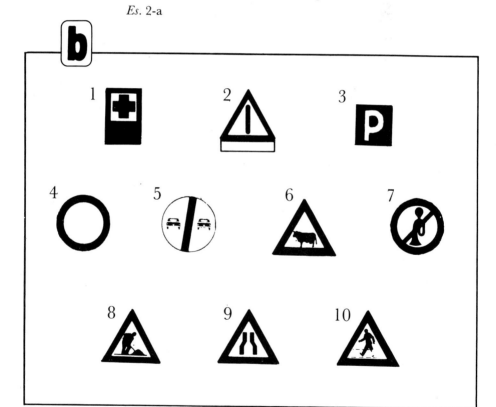

(a) Pericolo generico
(b) Attenzione agli animali
(c) Passaggio per pedoni
(d) Fine divieto di sorpasso
   per tutti gli autoveicoli
(e) Lavori in corso
(f) Parcheggio
(g) Strettoia
(h) Divieto di transito nei
   due sensi
(i) Pronto soccorso
(l) Divieto di segnalazioni
   acustiche

Esercizio 4 [C]

Rispondi alle domande poste scorrendo l'orario ferroviario e la tabella dei segni convenzionali.

(a) Puoi prenotare un posto in una carrozza letto sul treno delle 18.00 da Bologna?

(b) Di quali dei seguenti servizi:
(1) una cuccetta di 2ª classe (2) un posto in una carrozza di 1ª classe (3) ristorante
puoi usufruire viaggiando sul treno delle 16.55 da Milano?

(c) In quante stazioni di Roma ferma il treno delle 18.00 da Bologna?

(d) Puoi prenotare un posto in una carrozza letto di seconda classe sul treno delle 13.00 da Milano Centrale?

(e) Di quali servizi puoi usufruire viaggiando sul treno delle 15.30 da Bologna?

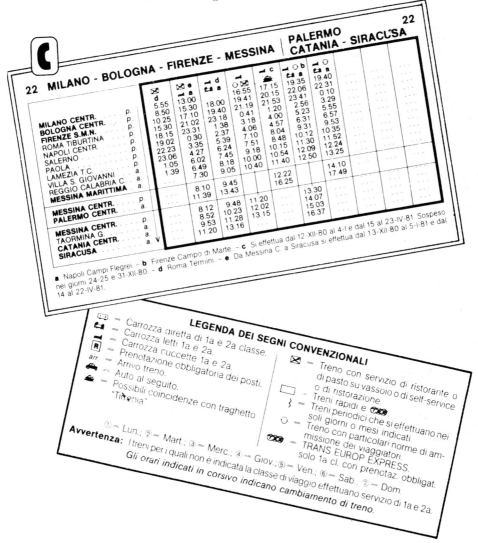

Sei a Roma e stai guardando la pagina dedicata al tempo libero del 'Messaggero'. Leggi gli annunci e fa' gli esercizi 5, 6, 7.

■ **Scavi Ostia Antica - Partenza in motobarca alle ore 9** da Ponte Marconi e rientro alle 17 - lire 10.000 soci, studenti, ragazzini e pensionati 7.000 - pranzo a bordo 6.000 - tutti i giorni esclusi quelli delle piene del fiume - scolaresche gratis.

■ **Meeting sportivo «Luigi Petroselli»** dalle **10** alle **15:** maratona di 3 e di 8 km. per le vie del quartiere e sugli argini del Tevere, torneo di pallavolo, esibizione e torneo di ping-pong - Gruppo sportivo Magliana - viale Vico Pisano 83.

■ **Archivio Vaticano** - 250 documenti di mille anni di storia in occasione del centenario dell'apertura dell'Archivio agli studiosi - viale Giardini Vaticani - **ore 10-12**, martedì e venerdì anche **16-19** dom. chiuso - fino al 31 dicembre.

■ **Attività solare oggi e nel passato** conferenza della prof. T. Fortini con diapositive - **ore 18** - Il Cortilaccio - via del Mascherino 2.

■ **Via Sannio:** indumenti vecchi e nuovi, vecchie divise e relativa dotazione, biancheria da casa, utensileria, casalinghi, giocattoli, dischi anche in affitto - fino alle **15.**

■ **Pittura cinese contemporanea:** 59 dipinti su rotolo ad acquerello e inchiostro su temi di natura e di realismo socialista dei maggiori artisti che hanno operato dopo il 1949 - Galleria Nazionale d'Arte Moderna - viale delle Belle Arti 131 - **ore 9-19** sab. e dom. **9-13,30** lun. chiuso. Fino al 22 novembre.

■ **Porta Portese:** antiquariato minore, piccolo collezionismo, abbigliamento nuovo e usato, biancheria da casa, casalinghi, piante, animali - fino alle **13.**

■ **Campionato individuale di scacchi:** ore 16 sorteggio, ore 16,30 primo turno - tempo di riflessione: 2 ore per 45 mosse più 15 minuti semilampo per finire - premi - ArciDama - Circolo scacchistico Monteverde - via di Monteverde 57-a - anche domani.

■ **Aspetti psicologici nel rapporto di coppia e nella famiglia** conferenza del dott. A. Popolizio per il ciclo divulgativo sulla comunicazione interpersonale - **ore 17** - Centro di psicologia scientifica - via Nomentana 251.

■ **Cartoline illustrate** che documentano la storia del costume italiano dalla fine dell'800 - Libreria Giulia - via Giulia - **ore 10-13 e 16-19,30** dom. e lun. chiuso - fino al 30 novembre.

■ Galleria nazionale d'Arte Moderna - appuntamento alle **10** con Achille Perilii all ingresso - viale delle Belle Artı 131.

■ Problemi della conservazione e del restauro convegno - interventi di F. Miarelli Mariani, A. Massa, N. Gabrielli, M. Marabelli, M. Micheli, P. Belletti - **ore 9** - per l'ass. Geo Archeologica Italiana - Villa Celimontana.

■ Michael Graves - Progetti 1977-1981: schizzi, modelli, fotografie e ultimi sette progetti dell'architetto americano - Galleria Nazionale d'Arte Moderna - viale delle Belle Arti, 131 - **ore 9-19,** festivi **9-13,30,** lunedì chiuso - fino al 29 novembre.

■ Concerto vocale e strumentale di musiche di Lorenzo Perosi a 25 anni dalla sua morte con contralto, tenore, basso e organo direttore Dario Sanzo - **ore 17,30** - Sala Borromini - piazza della Chiesa Nuova 18 - ingresso libero.

Settori

mostre

musica

visite guidate

mostre mercato

manifestazioni

incontri culturali

Esercizio 5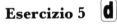

Inserisci i vari annunci nel giusto settore fra quelli proposti.

Es. mostre – Archivio Vaticano, Pittura cinese contemporanea.

Esercizio 6 **d**

Leggi gli annunci 'Dove oggi' e trova le seguenti informazioni:

(a) Quali mostre puoi visitare la domenica.
(b) Quali sport si possono praticare alla manifestazione sportiva 'Luigi Petroselli'.
(c) In quale mostra mercato puoi comperare:
— animali domestici
— oggetti per la casa
— dischi
(d) In quali giorni non si possono visitare gli Scavi di Ostia Antica.
(e) Quanto spende uno studente per visitare gli Scavi di Ostia Antica, compresa la consumazione di un pasto.
(f) Dove si tiene la conferenza 'Aspetti psicologici nel rapporto di coppia e nella famiglia'.

Esercizio 7 **d**

Organizza la giornata per un turista che sta visitando Roma, tenendo presente che:

— è un lunedì
— il turista è libero dalle 8.00 alle 19.00.
— il turista è interessato alla pittura
— il turista vuole comperare degli oggetti di antiquariato

Case ed appartamenti

Trovare una casa o anche solo una camera in affitto diventa ogni giorno un problema più grosso e … costoso!
Gli annunci qui riportati sono stati tratti da un quotidiano. Leggili e fa' l'esercizio 1.

AFFITTO LOCALI, APPARTAMENTI E TERRENI. OFFERTE: feriale lire 500 a parola. Festivo (+ 1 feriale) lire 1100.

1 **A.** Piazza Pitti pressi, elegante recapito, confort, arredato, persona seria, privato affitta. Scrivere Cassetta 48-G Publied, 50100 Firenze. 66289

2 **A** coppia referenziata di cui uno già occupato offriamo alloggio, vitto, più stipendio per l'altro disposto lavoro tuttofare. Telefonare 490.331 mattina entro ore dieci, Firenze. 66386

3 **A.** Affittasi varie grandezze: uffici, viali, a importanti società. negozi; ottime zone commerciali. Firenze 295.263. 68100

4 **A** Sesto Fiorentino affittasi primo piano mq. 110 circa centralissimo con permesso tavola calda pizzeria. Si affitta anche per uffici. Per informazioni telefonare 055-887.8.695 Zoppi.

5 **A** pensionati residenti zona La Spezia o Sarzana propongo appartamento indipendente in villa a Lerici contro lavori di gardinaggio e domestici, offro compenso da stabilirsi, condizione, scambiare loro alloggio o procurare appartamento a coppia referenziata. Tel. (0187) 968.464. 78492

6 **ADIACENTISSIMO** piazza Gavinana affittasi locale unico salone sei sporti mq. 250 più 100 scoperti arioso confortatissimo. Telefonare 241.598, Firenze 66505

7 **AFFITTASI** capannoni industriali mq. 2.700 divisibili, località Poggetto-Seano. Tel. (0571) 30.446. Telef. (0573) 479.825 ore pasti.

8 **AFFITTASI** locale mq. 60 uso studio p.t. con giardino. Piazza I. del Lungo (ex piazza Torino), 500.000 mensili. Telefonare ore pasti 661.677, Firenze. 66485

9 **AFFITTASI** magazzino 200 mq, adatto deposito merci, 600.000 mensili, Sesto Fiorentino, tel. 443.303. 11763

10 **AFFITTASI** locale 300 mq terreno con piazzale edatto pelletteria confezione od eltri lavori, Scandicci, tel. Firenze, 752.770. 11873

11 **AFFITTASI:** Calenzano. Capannone, coperto 2300 mq,; più 1500 scoperti; funzionalissimo, 87.000.000 annui, telefonare (055) 67.40.86.

12 **AFFITTASI** centro storico Prato piedatterra, doppiacasa, ammobiliato, 250 mila mensili. Locali ad uso ufficio, centro storico, zona industriale. Telefonare (055) 663.106, Firenze.

13 **AFFITTASI** grandioso salone zona S. 66654 Croce con grandi vani annessi per complessivi mq. 400 circa. Telefonare 296.242, Firenze, dalle ore 10 alle 22.

14 **AFFITTASI** grande camera, anche per tre persone, località Girone, preferenza uomini. Telef. ore pasti 690.450, Firenze.

15 **AFFITTASI** in studio grandi stanze 66380 solo uso ufficio, anche singolarmente, zona S. Gallo. Telefonare 480858 Firenze.

16 **AFFITTASI** 2 capannoni mq. 1000 68314 ciascuno, zona Montecatini, con piazzali mq. 600. Halldomus 055-472.922.

17 **AFFITTASI** azienda-laboratorio, produzione capi abbigliamento, attrezzature, impianti nuovissimi, mq. 150 eventualmente raddoppiabili Novoli, Firenze. Telefonare 05-262.836. 12323

18 **LERICI** affittasi mesi invernali appartamentino soleggiato terrazzo vista mare. 12327

---

10 Camere e pensioni
L. 550 fer. (a parola) L. 700 fest.

19 **PROFESSORE** universitario inglese cerca una camera in Bologna per il mese di aprile Tel. 396350

20 **SIGNORA** affitta camera per piccolo compenso solamente a signora preferibilmente pensionata scopo compagnia. 552749

21 **SIGNORA** cerca camera con uso cucina in ambiente familiare non periferia. Tel. 418384 ore pasti.

Esercizio 1 [a]

Dopo aver letto le richieste di alloggio delle persone qui elencate, in base agli annunci 'Affitto locali, appartamenti, terreni' e 'Camere e pensioni', cerca le soluzioni più adatte.

(a) Un ingegnere cerca locale uso studio per poter iniziare un'attività privata. Disposto a pagare non più di £500.000 mensili.

(b) Anziani coniugi desiderosi di trascorrere al mare parte della stagione invernale, cercano piccolo appartamento sulla costa.

(c) Studenti stranieri cercano una camera anche per periodo limitato.

(d) Anziana signora cerca camera in appartamento a prezzo modico.

(e) Grossa azienda cerca magazzino spazioso per uso deposito.

Leggi gli annunci di compravendite e fa' gli esercizi 2 e 3.

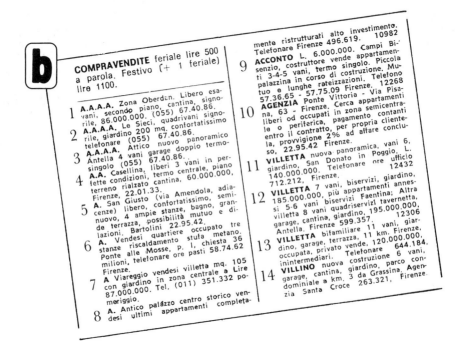

Esercizio 2

Quale tipo di casa fra quelle qui proposte compreresti e perché.

Esercizio 3

Scegli tre annunci di compravendita ed immagina di essere un agente immobiliare. Elenca al tuo cliente i pregi delle case che hai scelto (es: prezzo vantaggioso, zona in cui si trova la casa, dimensioni, giardino, etc ...) cercando di convincerlo a fare l'acquisto.

Esercizio 4

Trova la giusta definizione per ogni tipo di abitazione qui sotto elencato.

Es. (a) – 5

(a) palazzo (b) villa (c) cascina (d) capanna (e) castello
(f) grattacielo

1 Piccola costruzione con pareti e tetto fatti di frasche e paglia.
2 Casa signorile circondata da un muro o parco.
3 Casa colonica o casolare.
4 Edificio altissimo a molti piani.
5 Edificio di grandi proporzioni e pregio architettonico, o abitazione a più piani.
6 Grande edificio munito di mura e torri.

Alberghi e pensioni

Scorri la lista degli alberghi e pensioni della città di Firenze e fa' gli esercizi 1 e 2.

a

Cat. Class Kat.	Località · Localités · Places · Localidad Hôtels, Pensioni, Pensions	Min-Max	Min-Max	Min-Max	Min-Max
	Firenze (segue)				
I	**JOLLY CARLTON** 🛏🚿🍽☎ 📺🚗🍴✗🛎🍷🛗🔆 Piazza V. Veneto 4-A ☎ 27-70 TELEX 570191	— —	45000-70000	— —	55000-95000
I	**KRAFT** 🛏🚿🍽☎📺✗🛎🍷🛗🔆 Via Solferino 2 ☎ 284-273 TELEX 58523 Kraftel	40000-48000	46000-70000	62000-75000	67000-95000
I	**LONDRA** 🛏🚿🍽☎📺🍽✗ 🛎◉ P 🚗🍴🛗🔆 Via Iacopo da Diacceto 16/20 ☎ 262-791 TELEX 571152	— —	49000-70000	52000-68000	68000-96000
II	**LEONARDO DA VINCI** 🛏🚿☎ 🍴🍷 P Via G. Monaco 12 ☎ 474-352	31500-31500	44000-44000	46000-46000	61000-61000
II	**MEDITERRANEO** 🛏🚿☎ 🍴✗🛎◉🍴🛗🔆 Lungarno del Tempio 44 ☎ 672-241 TELEX 571195	22000-22000	24000-34000	35000-35000	48000-48000
III	**VICTORIA** 🛏🚿🛎 Via Chiara 22r ☎ 287-019	26500-26500	31000-31000	35000-35000	42000-42000
III	**VILLA BETANIA** 🛏🚿☎ P 🍴🛗🔆 Viale Poggio Imperiale 23 ☎ 220-532	25000-25000	29500-29500	— —	41500-41500
III	**VILLA MICHELANGELO** 🛏🚿☎ ✗🛎 Piazza Piave 3 ☎ 268-533 TELEX 571183 Atla	25000-25000	30500-30500	34000-34000	40000-40000
IV	**RESIDENZA UNIVERSITARIA FIORENTINA** 🛏🚿🍽✗🛗 Viale Don Minzoni 25 ☎ 576.552	17500-17500	19000-19000	23000-23000	26000-26000

Esercizio 1 **a**

Trova per le persone qui elencate il tipo di albergo più adatto.

(a) Ricco uomo d'affari a Firenze per motivi di lavoro.
(b) Due studenti che stanno facendo il giro dell'Europa.
(c) Famiglia benestante con piccolo cane in visita turistica per una settimana.

SEGNI CONVENZIONALI

Segni convenzionali relativi all'attrezzatura dell'intero esercizio:

Accessibile agli handicappati 🦽   Campo di tennis 🎾   Camerini per bagni o fanghi ⓣ

Ascensore 🛗   Piscina 〰️   n. del centralino telefonico ☎

Ristorante 🍴   Auto alla stazione 🚗   Servizio di telescrivente nell'esercizio TELEX

Bar ⵈ   Spiaggia privata ⛱️

Autorimessa dell'esercizio ⊙   Parco o giardino dell'   Si accettano cani e piccoli animali domestici 🐕

Parcheggio custodito ⓟ   esercizio ⵋ

Segni convenzionali relativi all'attrezzatura contenuta almeno nella metà delle camere:

Acqua corrente calda e fredda ⵝ   Aequa corrente fredda ⵝ   Riscaldamento centrale ⫿

Segni convenzionali relativi all'attrezzatura contenuta almeno in un terzo delle camere:

Gabinetto privato 🅆🄲   Aria condizionata ▦   Telefono urbano ☎

Apparecchio radio 📻   Apparecchio TV 📺

a

(d) Coppia di giovani che viaggiano in macchina e non intendono spendere più di £50.000 in due, a notte.

(e) Gruppo di amici che decidono di trascorrere un economico fine settimana a Firenze.

Esercizio 2   **a**

Sei un impiegato/a dell'ufficio del turismo di Firenze. Preparati a dare ai tuoi clienti informazioni riguardo agli alberghi qui elencati.

(a) Hotel Villa Michelangelo
(b) Hotel Londra
(c) Residenza Universitaria Fiorentina
(d) Hotel Mediterraneo

Es. Hotel Cavour

III	CAVOUR ⵝ ⫿☎🛗🍴ⵈ🚗🦽🐕 Via del Proconsolo 3 ☎ 287-102	22000-22000	30000-30000	33000-33000	46000-46000

L'Hotel Cavour è di 3 categoria, si trova in via del Proconsolo n. 3. In quasi tutte le camere c'è acqua corrente calda e fredda; il riscaldamento è centralizzato. L'albergo dispone di telefono urbano, ascensore, ristorante, bar e garage.
È accessibile agli handicappati. Si possono tenere cani o piccoli animali domestici. Il prezzo delle camere varia dalle £22.000 alle £30.000 per una camera singola e dalle £33.000 alle £46.000 per una doppia. Il numero del centralino telefonico è 287102.

Esercizio 3

Descrivi un albergo o una pensione in cui sei stato recentemente; specifica: categoria, indirizzo, prezzo, e particolari confort.

Esercizio 4

Sei a Firenze con un tuo amico, per seguire una conferenza all'Università, alla facoltà di medicina. Cerca una camera con bagno per tre notti. Completa il seguente dialogo tra te e l'albergatore. Leggi prima attentamente le domande o le risposte già date.

ALBERGATORE: Buonasera, desidera?
TU: ....
ALB.: Singola o doppia?
TU: ....
ALB.: Per favore scriva qui il suo nome ed indirizzo.
TU: ....
ALB.: È abbastanza distante da qui! Ha la macchina?
TU: ....
ALB.: Allora deve prendere l'autobus n. 21 ed impiegherà circa mezz'ora per arrivare all'università.
TU: ....
ALB.: Non si preoccupi la sveglieremo noi. Buonanotte.
TU: ....

Annunci di lavoro

Scorri gli annunci di lavoro tratti da alcuni quotidiani e fa'
l'esercizio 1.

A

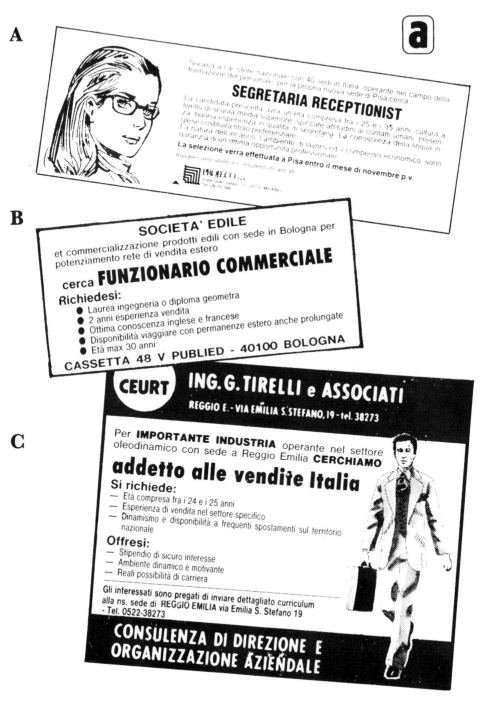

Società a carattere nazionale con 40 sedi in Italia, operante nel campo della
formazione del personale, per la propria nuova sede di Pisa cerca

SEGRETARIA RECEPTIONIST

La candidata prescelta avrà un età compresa fra i 25 e i 35 anni, cultura a
livello di scuola media superiore. Spiccate attitudini ai contatti umani, presenza, buona esperienza in qualità di segretaria. La conoscenza della lingua inglese costituirà titolo preferenziale. L'ambiente di lavoro ed il compenso economico sono
la natura dell'incarico. L'ambiente di lavoro ed il compenso economico sono
garanzia di un'ottima opportunità professionale.

La selezione verrà effettuata a Pisa entro il mese di novembre p.v.

PROJECO s.a.

B

SOCIETA' EDILE

et commercializzazione prodotti edili con sede in Bologna per
potenziamento rete di vendita estero

cerca FUNZIONARIO COMMERCIALE

Richiedesi:
- Laurea ingegneria o diploma geometra
- 2 anni esperienza vendita
- Ottima conoscenza inglese e francese
- Disponibilità viaggiare con permanenze estero anche prolungate
- Età max 30 anni

CASSETTA 48 V PUBLIED - 40100 BOLOGNA

C

CEURT **ING. G. TIRELLI e ASSOCIATI**

REGGIO E. - VIA EMILIA S. STEFANO, 19 - tel. 38273

Per **IMPORTANTE INDUSTRIA** operante nel settore
oleodinamico con sede a Reggio Emilia **CERCHIAMO**

addetto alle vendite Italia

Si richiede:
- Età compresa fra i 24 e i 25 anni
- Esperienza di vendita nel settore specifico
- Dinamismo e disponibilità a frequenti spostamenti sul territorio
  nazionale

Offresi:
- Stipendio di sicuro interesse
- Ambiente dinamico e motivante
- Reali possibilità di carriera

Gli interessati sono pregati di inviare dettagliato curriculum
alla ns. sede di REGGIO EMILIA via Emilia S. Stefano 19
- Tel. 0522-38273

**CONSULENZA DI DIREZIONE E
ORGANIZZAZIONE AZIENDALE**

D

iscriversi al corso allievi sottufficiali dell'esercito può essere un'alternativa

Avrai una carriera rapida e sicura, tante soddisfazioni e un trattamento economico che non è secondo a nessuno.
Se hai un'età compresa tra i 16 e i 26 anni e vuoi ulteriori informazioni rivolgiti direttamente al distretto militare di appartenenza, oppure scrivici a: Statesercito, Casella Postale 2338, Roma A.D.

a

E

La **ATOS Oleodinamica** S.p.A.
sede di MODENA
RICERCA
giovane perito metalmeccanico
militassolto per mansioni tecnico commerciali

Telefonare per appuntamento al 059-250550

F

AGENZIA DI PUBBLICITÀ
qualificata, a servizio completo, con sede in Milano, zona Piazza Duomo

OFFRE
possibilità di inserimento a
GIOVANE SIGNORA

per ampliamento port-folio con ricerca nuovi clienti nei settori industriali-commerciali.
Si richiede: cultura a livello universitario, disponibilità immediata, facile comunicabilità, spirito di iniziativa.
Si offre: esclusività di zona, alta percentuale sugli utili, anticipi sugli affari acquisiti, rimborso spese, appoggio promozionale.
I colloqui preliminari dovranno svolgersi a Milano nella sede dell'agenzia.
Rispondere solo se in possesso dei requisiti richiesti e solo se seriamente interessate a svolgere un'attività impegnativa e stimolante in un'ambiente dinamico in pieno sviluppo.
PUBBLIMAN, 179/0 · 20121 MILANO

NB Militassolto- che ha già portato a termine il servizio militare obbligatorio.

Esercizio 1 [a]

Decidi quali delle otto persone descritte qui sotto potrebbero essere adatte per i lavori proposti. (Non dimenticarti che non dovrebbero esserci discriminazioni di sesso negli annunci di lavoro!)

(a) Giovane ingegnere militassolto, ottima conoscenza della lingua inglese. Pluriennale esperienza nel campo delle vendite, disposto a viaggiare anche all'estero, cerca buon impiego.

(b) Ragazza 27enne, carattere estroverso e bella presenza. Diploma di corrispondente in lingue straniere. Attualmente impiegata presso un ufficio commerciale, cerca nuovo impiego.

(c) Giovane 18enne in cerca di primo impiego con possibilità di carriera. Diploma di scuola media superiore. Disponibile a viaggiare. Libero da impegni familiari, amante dello sport.

(d) Signora milanese, cultura universitaria, disponibile per impiego part-time, possibilmente come segretaria o collaboratrice nel settore pubblicitario. Bella presenza e spirito d'iniziativa.

(e) Signora 30enne, esperienza pluriennale come segretaria. Buona conoscenza inglese, francese, steno-dattilografia. Attitudine ai contatti umani, disponibile per lavoro part-time.

(f) Studente in Scienze Politiche cerca lavoro ben retribuito e con prospettive di carriera immediata. Buona conoscenza dell'inglese ed ottimo livello culturale.

(g) 23enne, diplomato all'Instituto Tecnico per Geometri, militassolto, cerca impiego. Conoscenza scolastica dell' inglese e francese. Disposto a viaggiare anche all'estero. Nessuna esperienza di lavoro.

(h) Signorina 24enne, in possesso di diploma di laurea in facoltà umanistica. Disponibile subito per impiego interessante. Buone capacità organizzative ed attitudine ai contatti umani. Disposta a spostamenti in territorio nazionale.

(i) Giovane geometra residente in Emilia, militassolto, esperienza in campo commerciale. Discreta conoscenza della lingua inglese e francese. Disponibile spostamenti anche all'estero.

Esercizio 2

'Soldi, soldi, soldi . . .' Inserisci tutti i vocaboli qui elencati riferiti al 'denaro' negli spazi vuoti:

salario presalario mancia riscatto tassa multa stipendio pensione acconto tariffa

Es. (a) Ho parcheggiato la macchina in sosta vietata ed ho preso la multa

(b) Ogni persona anziana ha diritto alla propria

....

(c) Solo alcuni studenti universitari possono usufruire del

....

(d) Il cameriere è stato molto gentile, gli darò una buona

....

(e) Il .... medio di un operaio italiano si aggira sulle £ 1.100.000 mensili.

(f) Abbiamo comperato un nuovo giradischi; ho lasciato un

.... di £50.000 ed oggi vado a ritirarlo.

(g) I rapitori hanno chiesto un forte .... in cambio della vita del ragazzo.

(h) Lo .... degli statali viene pagato il giorno 27 di ogni mese.

(i) Per l'iscrizione all'università devi pagare una

.... annuale.

(l) La .... degli autobus a Bologna è di £ 700.

Esercizio 3 [a]

Sei in cerca di lavoro; prepara un annuncio per un giornale, specificando:

— il tuo titolo di studio
— eventuale conoscenza delle lingue
— precedenti esperienze di lavoro
— particolari interessi
— qualsiasi altra informazione utile

Esercizio 4 [b]

Rispondi alle domande poste qui sotto.

(a) Quale professione svolgono le persone nella pagina accanto?
(b) Quali titoli di studio bisogna avere per poter praticare le professioni della pagina accanto?
(c) Quali pensi siano i vantaggi e gli svantaggi di tali professioni?

19

Ristoranti

Scorri l'elenco dei ristoranti che si trovano nelle città in provincia di Perugia (Assisi, Cascia, Castiglione del lago, Città della Pieve) e fa' gli esercizi 1 e 2.

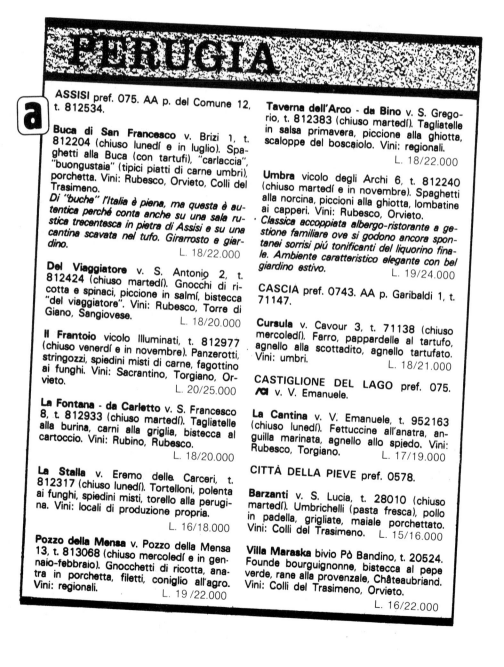

PERUGIA

ASSISI pref. 075. AA p. del Comune 12, t. 812534.

Buca di San Francesco v. Brizi 1, t. 812204 (chiuso lunedí e in luglio). Spaghetti alla Buca (con tartufi), "carlaccia", "buongustaia" (tipici piatti di carne umbri), porchetta. Vini: Rubesco, Orvieto, Colli del Trasimeno.
Di "buche" l'Italia è piena, ma questa è autentica perché conta anche su una sala rustica trecentesca in pietra di Assisi e su una cantina scavata nel tufo. Girarrosto e giardino.
L. 18/22.000

Del Viaggiatore v. S. Antonio 2, t. 812424 (chiuso martedí). Gnocchi di ricotta e spinaci, piccione in salmí, bistecca "del viaggiatore". Vini: Rubesco, Torre di Giano, Sangiovese.
L. 18/20.000

Il Frantoio vicolo Illuminati, t. 812977 (chiuso venerdí e in novembre). Panzerotti, stringozzi, spiedini misti di carne, fagottino ai funghi. Vini: Sacrantino, Torgiano, Orvieto.
L. 20/25.000

La Fontana - da Carletto v. S. Francesco 8, t. 812933 (chiuso martedí). Tagliatelle alla burina, carni alla griglia, bistecca al cartoccio. Vini: Rubino, Rubesco.
L. 18/20.000

La Stalla v. Eremo delle Carceri, t. 812317 (chiuso lunedí). Tortelloni, polenta ai funghi, spiedini misti, torello alla perugina. Vini: locali di produzione propria.
L. 16/18.000

Pozzo della Mensa v. Pozzo della Mensa 13, t. 813068 (chiuso mercoledí e in gennaio-febbraio). Gnocchetti di ricotta, anatra in porchetta, filetti, coniglio all'agro. Vini: regionali.
L. 19/22.000

Taverna dell'Arco - da Bino v. S. Gregorio, t. 812383 (chiuso martedí). Tagliatelle in salsa primavera, piccione alla ghiotta, scaloppe del boscaiolo. Vini: regionali.
L. 18/22.000

Umbra vicolo degli Archi 6, t. 812240 (chiuso martedí e in novembre). Spaghetti alla norcina, piccioni alla ghiotta, lombatine ai capperi. Vini: Rubesco, Orvieto.
Classica accoppiata albergo-ristorante a gestione familiare ove si godono ancora spontanei sorrisi piú tonificanti del liquorino finale. Ambiente caratteristico elegante con bel giardino estivo.
L. 19/24.000

CASCIA pref. 0743. AA p. Garibaldi 1, t. 71147.

Cursula v. Cavour 3, t. 71138 (chiuso mercoledí). Farro, pappardelle al tartufo, agnello alla scottadito, agnello tartufato. Vini: umbri.
L. 18/21.000

CASTIGLIONE DEL LAGO pref. 075. **ACI** v. V. Emanuele.

La Cantina v. V. Emanuele, t. 952163 (chiuso lunedí). Fettuccine all'anatra, anguilla marinata, agnello allo spiedo. Vini: Rubesco, Torgiano.
L. 17/19.000

CITTÀ DELLA PIEVE pref. 0578.

Barzanti v. S. Lucia, t. 28010 (chiuso martedí). Umbrichelli (pasta fresca), pollo in padella, grigliate, maiale porchettato. Vini: Colli del Trasimeno.
L. 15/16.000

Villa Maraska bivio Pò Bandino, t. 20524. Founde bourguignonne, bistecca al pepe verde, rane alla provenzale, Châteaubriand. Vini: Colli del Trasimeno, Orvieto.
L. 16/22.000

Esercizio 1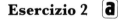

Trova le informazioni qui richieste.

(a) Quanto costa mangiare al ristorante 'Cursula'.
(b) Il numero telefonico del ristorante 'Il Viaggiatore'.
(c) L'indirizzo del ristorante 'La Stalla'.
(d) Quali ristoranti sono chiusi il martedì.
(e) Quale ristorante rispecchia l'arte e l'ambiente medioevale di Assisi.
(f) Dove si può mangiare e ci si può trattenere per la notte.

Esercizio 2 [a]

Quale ristorante fra quelli proposti scegli se:
(a) preferisci il pesce
(b) vuoi assaggiare gli gnocchetti di ricotta.
(c) vuoi mangiare la porchetta
(d) ti piace molto l'agnello

Scorri i due conti del ristorante e della trattoria qui riportati e fa' l'esercizio 3.

RISTORANTE

La Stalla RICEVUTA FISCALE ART. 1 D. M. 13-10-79

XAR № 120201 **/ 80**

di Rambotti Francesco

06081 ASSISI (Pg)
Via Eremo delle Carceri, 7
Telef. 075 / 812.317

Cod. Fisc. RMB FNC 43L03 F911T

Data 23 - 4 - 88

Persone N.

Tavolo N.

Natura qualità e quantità dei servizi		
Pane e coperto . .8. . . .	L.	6 400
Vino o Birra . 2 . .	L.	3 000
Acqua minerale . . .	L.	
Antipasto . . 2 .	L.	1 400
Primo piatto . . .	L.	6 000
Torta al testo con prosciutto 5 . .	L.	12 500
Spiedino Cacciagione .	L.	

el 12/6/79

RICEVUTA FISC.

Data *16.5.84*

	Ricevuta fiscale art. 1 DM 13-10-79
XA № 019340 **80**	

TRATTORIA "TONY"
di Zuppiroli & Bassani
VERA CUCINA BOLOGNESE
Via A. Righi, 1-B - **BOLOGNA** - Telef. 23.28.52

Partita IVA 00500830377

	N.		L.	
Pranzo prezzo fisso	3	L.		
Coperto e servizio		L.	6.000	
Vino e Bibite varie		L.	3.000	
Antipasto		L.		
Primo	2	L.	8.000	
Secondo		L.	5.000	
Contorni	3			
Formaggio	2	L.	3.300	
Frutta		L.	4.500	
Dolce		L.	3.500	
Caffè	3	L.		
Liquore		L.	2.400	
		L.		

Totale corrispettivo (IVA inclusa) L. 35.700

Tip. Febbrilli & Dovesi di Lopez & C. - Via S. Felice, 18 - Tel. 22.78.79 (Bo)
Aut. Min. Prot. N. 364548/79 del 17-9-79 - C.F. 01172230375

Esercizio 3 [b]

Trova le informazioni qui richieste.

(a) In quali città si trovano il ristorante e la trattoria.
(b) Quante persone hanno mangiato rispettivamente nel ristorante e nella trattoria.
(c) Quanto è stato pagato di coperto per ogni persona nel conto del ristorante 'La Stalla'.
(d) Quante persone hanno preso il primo piatto al ristorante 'La Stalla'.
(e) Quanto si è speso in totale alla trattoria 'Tony'.

Leggi la ricetta tratta da un libro di cucina italiana, fa'
l'esercizio 4 . . . e prova anche tu a preparare il piatto!

FRITTELLINE DI SEDANO

INGREDIENTI: 2 sedani di buone dimensioni, 3 uova, un etto
abbondante di carne o prosciutto, finemente macinati, gr. 150
di farina bianca, prezzemolo, noce moscata, pane grattugiato,
buccia di limone, olio e burro quanto occorre.

ESECUZIONE: Pulire perfettamente i sedani, tagliare a pezzi,
lessare in acqua salata unitamente ad una sottilissima fettina
di buccia di limone, scolare e lasciare raffreddare. Sbattere in
apposita terrina le uova, la noce moscata ed il prezzemolo.
A parte far saltare in poco burro la carne od il prosciutto e spap-
polare mediante l'uso di una forchetta, naturalmente in altro
recipiente, i sedani. Nella terrina contenente le uova ed il resto
aggiungere, mescolando molto bene, la carne od il prosciutto, i
sedani e, per ultimo, la farina; amalgamare il tutto alla perfezio-
ne e quindi, formare con le mani delle frittelline; passare nel
pane grattugiato e dorare in burro ed olio bollenti.
Prima di servire allineare le frittelle sopra un foglio di carta
assorbente affinché perdano olio e burro superflui.

Esercizio 4

Qui sotto ci sono alcune definizioni. Trova nella ricetta la
parola corrispondente ad ogni definizione data.

(a) Cuocere facendo bollire nell'acqua
(b) Far uscire il liquido
(c) Recipiente di terracotta di forma rotonda
(d) Mettere insieme, impastare
(e) Non necessari

Esercizio 5

Ogni verbo qui sotto si riferisce ad uno solo degli alimenti proposti. Scegli il verbo più adatto per ogni alimento.

Es. (a) pelare 5. patate

(a) Pelare	1 Uova
(b) Condire	2 Prosciutto
(c) Sbattere	3 Parmigiano
(d) Affettare	4 Insalata
(e) Grattugiare	5 Patate

Esercizio 6

Inserisci nei giusti settori i seguenti vocaboli:
carciofo origano rosmarino albicocca sedano dattero pesca basilico anguria cetriolo ravanello salvia susina prezzemolo melanzana fragole spinaci menta

Frutta	Verdure	Erbe aromatiche
pesca		

Esercizio 7 🄲

Descrivi in tutti i particolari come preparare un piatto tipico del tuo paese specificando:

— ingredienti
— esecuzione
— tempo di cottura
— presentazione del piatto

Spettacoli

Scorri la lista degli spettacoli cinematografici di Bologna e fa'
l'esercizio 1.

CINEMA

prima visione

AMBASCIATORI
Via Orefici 19   L. 8.000
234535
Le porno cameriere - sexy, C, V 18

ARCOBALENO
P.zza Re Enzo 1/d   L. 8.000
235227
Brubaker di S. Rosenberg, R. Redford, Y. Kotto - drammatico, C
L'universo carcerario e ci.l (le regioni politiche) lo vuole orrendo con protagonista di richiamo come Redford

ARENA DEL SOLE
via Indipendenza   L. 8.000
234815
La casa stregata di B. Corbucci - R. Pozzetto, G. Guida commedia brillante, C

ARLECCHINO
Via Lame 57/e   L. 8.000
266997
★ **Angi Vera** di P. Gabor - V. Papp e E. Pastor - drammatico, C, Sncci
Una giovane infermiera rinuncia all'amore per seguire l'ambizione politica. Ma siamo nell'Ungheria del 1948

CAPITOL 1
Via Milazzo 1   L. 8.000
233788
■ **Il Pap'occhio** di R. Arbore - R. Arbore, R. Benigni - comm. brillante, C
Arbore e compagni in Vaticano per lanciare la Tv di Wojtyla

CAPITOL 2
Via Indipendenza   L. 8.000
269970
★ **Oltre il giardino** di H. Ashby - P. Sellers, S. MacLaine - commedia, C
Tanto ingenuo il giardiniere e inesperto da poter aspirare alla Casa Bianca?

EMBASSY
Via Azzo Gardino 61   L. 8.000
555563
Io, modestamente Mosé di G. Weiss - D. Moore, L. Newman - commedia brill., C
Semiseri dubbi sulla Bibbia: era veramente Mosé l'eletto di Dio o un certo Herschel, su cui due americani hanno trovato un manoscritto?

FOSSOLO
Via Orlandi, 21
540145
■ **Il Pap'occhio** di R. Arbore - R. Arbore, R. Benigni - comm. brillante, C
Arbore e compagni in Vaticano, per lanciare la Tv di Wojtyla

25

a

seconda visione

L. 5.000

ADMIRAL — 227911
Via S. Felice 28
► **Cruising** di W. Friedkin - A. Pacino,
K. Allen - poliziesco, C, V 18
William Friedkin indaga con la
macchina da presa tra i club del
fronte del porto

ADRIANO D'ESSAI — L. 5.000 — 555127
Via S. Felice 52
► **La morte in diretta** di B. Tavernier -
R. Schneyder, H. Keitel - drammati-
co, C
Noi e la tv, la tv e la morte. Con
qualche variazione bergmaniana
sul tema

ALEXANDER — L. 5.000 — 426900
Via di Vagno 1
► **Bentornato Picchiatello** di e con
Jerry Lewis - commedia brillante, C
Un carosello fantasmagorico di
personaggi, situazioni e storiche
gaffes. Firmato Jerry Lewis

APOLLO — L. 5.000 — 410508
Via XXI Aprile 8
★ **Una notte d'estate (Gloria)** di J.
Cassavetes - G. Rowlands, J. A-
dams - drammatico, C
Una donna e un bambino contro la
mafia newyorkese, ce la faranno?

ASTORIA — L. 5.000 — 305978
Via Dagnini 11/2
► **Bentornato Picchiatello** di e con
Jerry Lewis - comm. brillante, C

CONTINENTAL — L. 5.000 — 385871
via Emilia Ponente 221
■ **1977: fuga da New York** di J. Carpenter - avventuroso, C

CORALLO — L. 5.000 — 542701
via Sardegna 15
Delitto al ristorante cinese - T. Mi-
lian - poliziesco brillante, C

GIARDINO — L. 5.000 — 343441
viale Oriani 37
Il grande ruggito di N. Marshall - N.
Marshall, T. Hedren - avventuroso, C
Che fáre se invece del gatto vi ritrovate
in casa un leone? Guardare per imparare

A

DOMANI all'ARENA del SOLE

DOPO LA «MOGLIE STREGA» POZZETTO SI RITROVA «STREGATA»
ANCHE LA CASA...

MAI AVEVO RISO TANTO VEDENDO UN MIO FILM
RENATO POZZETTO

RENATO POZZETTO
GLORIA GUIDA

LA CASA STREGATA

Un film di **BRUNO CORBUCCI** — CINERIZ

INIZIO FILM: 15 - 17.05 - 18.45 - 20.35 - 22.30

Esercizio 1 ⓐ

Rispondi alle seguenti domande.

(a) Vuoi andare a vedere 'Il Pap'occhio', in quale cinema viene proiettato?
(b) Quali sono i film che si consiglia di non perdere?
(c) Hai un figlio di 12 anni, potete andare a vedere 'Cruising' all'Admiral?
   Quali altri film puoi scegliere in seconda visione se vuoi andare al cinema con tuo figlio?
(d) Dove viene proiettato un film di B. Corbucci?
   A che ora inizia l'ultimo spettacolo?
(e) Chi è il regista di 'Cercasi Gesù'?
(f) Che genere di film è 'Il Marchese del Grillo'?
   Chi è l'attore protagonista del film?

Scorri la pagina degli spettacoli musicali e fa' l'esercizio 2.

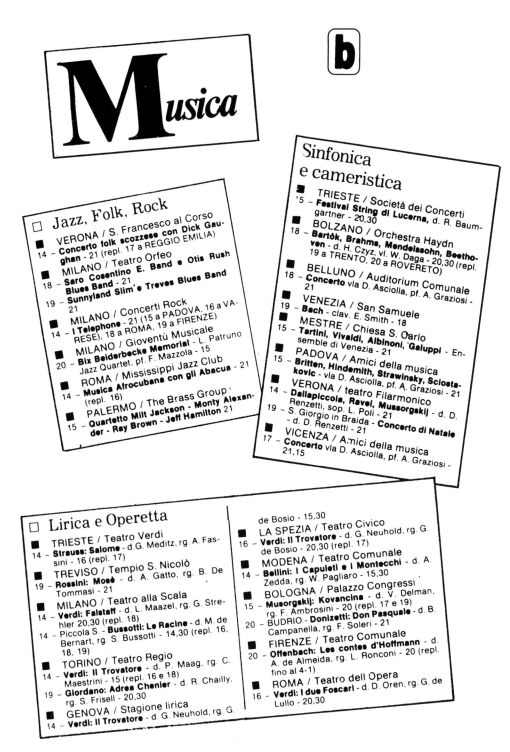

b

Musica

Sinfonica e cameristica

- TRIESTE / Società dei Concerti
  5 – **Festival String di Lucerna**, d. R. Baum-
  gartner - 20,30
- BOLZANO / Orchestra Haydn
  18 – **Bartók, Brahms, Mendelssohn, Beetho-**
  ven - d. H. Czyz, vl. W. Daga - 20,30 (repl.
  19 a TRENTO, 20 a ROVERETO)
- BELLUNO / Auditorium Comunale
  18 – **Concerto** via D. Asciolla, pf. A. Graziosi -
  21
- VENEZIA / San Samuele
  19 – **Bach** - clav. E. Smith - 18
- MESTRE / Chiesa S. Carlo
  15 – **Tartini, Vivaldi, Albinoni, Galuppi** - Ensemble di Venezia - 21
- PADOVA / Amici della musica
  15 – **Britten, Hindemith, Strawinsky, Sciosta-**
  kovic - via D. Asciolla, pf. A. Graziosi - 21
- VERONA / teatro Filarmonico
  14 – **Dallapiccola, Ravel, Mussorgskij** - d. D.
  Renzetti, sop. L. Poli - 21
  19 – S. Giorgio in Braida - **Concerto di Natale**
  - d. D. Renzetti - 21
- VICENZA / Amici della musica
  17 – **Concerto** via D. Asciolla, pf. A. Graziosi -
  21,15

Jazz, Folk, Rock

- VERONA / S. Francesco al Corso
  14 – **Concerto folk scozzese con Dick Gau-**
  ghan - 21 (repl. 17 a REGGIO EMILIA)
- MILANO / Teatro Orfeo
  18 – **Saro Cosentino E. Band e Otis Rush**
  Blues Band - 21
  19 – **Sunnyland Slim e Treves Blues Band**
  21
- MILANO / Concerti Rock
  14 – **I Telephone** - 21 (15 a PADOVA, 16 a VA-
  RESE), 18 a ROMA, 19 a FIRENZE)
- MILANO / Gioventù Musicale
  20 – **Bix Belderbecke Memorial** - L. Patruno
  Jazz Quartet, pf. F. Mazzola - 15
- ROMA / Mississippi Jazz Club
  14 – **Musica Afrocubana con gli Abacua** - 21
  (repl. 16)
- PALERMO / The Brass Group
  15 – **Quartetto Milt Jackson - Monty Alexan-**
  der - Ray Brown - Jeff Hamilton 21

Lirica e Operetta

- TRIESTE / Teatro Verdi
  14 – **Strauss: Salome** - d.G. Meditz, rg. A. Fas-
  sini - 16 (repl. 17)
- TREVISO / Tempio S. Nicolò
  19 – **Rossini: Mosè** - d. A. Gatto, rg. B. De
  Tommasi - 21
- MILANO / Teatro alla Scala
  14 – **Verdi: Falstaff** - d. L. Maazel, rg. G. Stre-
  hler 20,30 (repl. 18)
  14 – Piccola S. - **Bussotti: Le Racine** - d. M. de
  Bernart, rg. S. Bussotti - 14,30 (repl. 16,
  18, 19)
- TORINO / Teatro Regio
  14 – **Verdi: Il Trovatore** - d. P. Maag, rg. C.
  Maestrini - 15 (repl. 16 e 18)
  19 – **Giordano: Adrea Chenier** - d. R. Chailly,
  rg. S. Frisell - 20,30
- GENOVA / Stagione lirica
  14 – **Verdi: Il Trovatore** - d. G. Neuhold, rg. G.
  de Bosio - 15,30
- LA SPEZIA / Teatro Civico
  16 – **Verdi: Il Trovatore** - d. G. Neuhold, rg. G.
  de Bosio - 20,30 (repl. 17)
- MODENA / Teatro Comunale
  14 – **Bellini: I Capuleti e i Montecchi** - d. A.
  Zedda, rg. W. Pagliaro - 15,30
- BOLOGNA / Palazzo Congressi
  15 – **Musorgskij: Kovancina** - d. V. Delman,
  rg. F. Ambrosini - 20 (repl. 17 e 19)
  20 – **Budrio - Donizetti: Don Pasquale** - d. B.
  Campanella, rg. F. Soleri - 21
- FIRENZE / Teatro Comunale
  20 – **Offenbach: Les contes d'Hoffmann** - d.
  A. de Almeida, rg. L. Ronconi - 20 (repl.
  fino al 4-1)
- ROMA / Teatro dell'Opera
  16 – **Verdi: I due Foscari** - d. D. Oren, rg. G. de
  Lullo - 20,30

(a) Abiti a Milano, quali tipi di musica puoi ascoltare?

(b) Per quante sere verrà messa in scena l'opera di Musorgskij al Palazzo dei Congressi di Bologna?

(c) In quale città e da quale orchestra puoi sentire delle musiche di Vivaldi?

(d) Sei un intenditore di musica di Verdi, quali opere puoi seguire ed in quali città?

(e) In quali città italiane sarà possibile ascoltare il concerto rock dei Telephone? E in quali giorni?

Esercizio 3

Qui sotto ci sono tre elenchi di parole riferite alla musica, al teatro ed al cinema. Riscrivile raggruppando a tre i vocaboli collegati fra loro. Ti abbiamo già risolto le più difficili–fa' tu il resto . . .

palco	produttore	mimare
teatro	flauto	attore
clarino	tragedia	sala da concerti
recitare	platea	sassofono
commedia	cinema	palcoscenico
regista	cantare	farsa

Es. (a) palco   platea   palcoscenico
     (b)
     (c)
     (d)
     (e)

 NB I numeri sul lato sinistro (sotto ai quadrati neri), si riferiscono ai giorni in cui gli spettacoli vengono rappresentati; le date delle repliche sono riportate fra parentesi.

Vacanze

Leggi le seguenti informazioni turistiche. Le vacanze-studio sono state tratte da un dépliant di corsi di lingua per studenti che vogliono imparare l'inglese, mentre gli altri annunci sono stati tratti da 'Tuttoturismo' una rivista mensile che informa su vacanze di tutti i tipi.

Londra in economia

L'offerta è della organizzazione TRAVEL MONDIAL di Milano e prevede permanenze di 4, 5, 6 o 8 giorni nella capitale britannica, con sistemazione in hotel di varia categoria (dal lusso alla 2ª cat.) e trattamento di pernottamento e prima colazione. Le quote, che naturalmente comprendono il passaggio aereo di andata e ritorno da Milano, Torino o Verona, sono valide fino al 30 aprile. Il periodo più breve costa 425.000 lire in hotel di 2ª categoria e 487.000 o 565.000 lire in hotel di categoria lusso («Gloucester» o «Westbury»). Per 5 giorni si pagano da 490.000 a 810.000 lire; sei giorni da 510.000 a 900.000 lire. Per il soggiorno più lungo infine la quota minima è di 600.000 lire e le due massime, a seconda dell'hotel di lusso prescelto, di L. 830.000 e di L. 1.350.000.
Una combinazione particolarmente economica prevede poi il volo di andata e ritorno e la sistemazione in «boarding houses», in camere multiple senza servizi e con trattamento di solo pernottamento. Il prezzo di questa offerta, valida anche essa fino al 31 aprile (per le partenze da Milano, fino al 31 marzo per quelle da Verona e Torino) è di L. 390.000. Dal 2 al 30 aprile a tutte le quote è necessario aggiungere il supplemento alta stagione di L. 20.000.

a

VACANZE STUDIO IN INGHILTERRA

CAMBRIDGE prezzi e date:

Nr. dei corso	Periodo	Giorni	Tipo di corso	Prezzi da Milano	Prezzi da Roma	Prezzi da Venezia
91	8.6-29.6	22	Generale	1.450.000		1.475.000
92	15.6- 6.7	22	Generale	1.560.000	1.630.000	–
93	29.6-20.7	22	Generale	1.560.000		–
94	6.7-27.7	22	Generale	1.560.000	–	–
95	27.7-17.8	22	Generale	1.480.000	1.630.000	–
96	17.8- 7.9	22	Generale	1.480.000	1.520.000	–
97	15.6-13.7	29	Generale	1.720.000		–
98	22.6-20.7	29	Generale	1.720.000	1.770.000	–
99	29.6-27.7	29	Generale	1.720.000		–
100	20.7-17.8	29	Generale	1.590.000	1.770.000	1.750.000
101	27.7-24.8	29	Generale	1.590.000		–
102	24.8- 7.9	15	Generale	1.200.000	1.650.000	1.620.000
103	29.6-27.7	29	Per universitari A.	1.780.000	1.630.000	–
104	29.6-27.7	29	Per universitari B.	1.780.000	1.820.000	–
105	27.7-24.8	29	Per universitari A.	1.690.000	1.820.000	–
106	27.7-24.8	29	Per universitari B.	1.690.000	1.750.000	–
107	27.7-24.8	29	Intensivo per univ. A.	1.720.000	1.750.000	–
108	24.8- 7.9	15	Per universitari A.	1.300.000	1.760.000	–
109	24.8- 7.9	15	Per universitari B.	1.300.000	1.350.000	–

SUPERVACANZE

NEW PROVIDENCE (Bahamas)

Con chi: AIRTOUR. Voli Alitalia. Hotel «Sheraton British Colonial», 1 cat., camere con servizi. Night, piscina, tennis, golf. Pernottamento e prima colazione.
Durata: 12 giorni.
Partenze: 16 e 30 gennaio, 6 e 20 febbraio, 6 e 20 marzo, 3 e 17 aprile.
Prezzo: L. 2.320.000 da Milano, 2.390.000 da Roma.

MARILLEVA

Con chi: VALTUR. Villaggio «Marilleva 2», camere a 2-3 letti con servizi privati. Saloni, piscina, animazione, corso di sci collettivo.
Prezzo: 510.000/715.000

STELLA SOLARIS

Sun Line, tonn. 18.000.
Con chi: INTERNATIONAL TRAVEL. Sistemazione in cabine con servizi e aria condizionata. Piscina, discoteca.
Scali: Galveston, Gran Cayman, Kingston, Cartagena, Cristobal, Canale di Panama, Balboa, Cozumel, Playa del Carmen, Galveston.
Durata: 13 giorni.
Partenze: 19 gennaio, 8 e 20 febbraio, 4 marzo.
Prezzi: (escluso il viaggio da e per l'Italia) da L. 2.200.000 (cabine interne a due letti) a L. 3.400.000 (appartamenti di lusso a due letti).

Esercizio 1 ⓐ

Usando le informazioni turistiche, ricopia lo schema sul tuo quaderno e completalo dove possibile.

	VACANZE SULLA NEVE	SOGGIORNI STUDIO	VACANZE A LONDRA	CROCIERE	ISOLE
LUOGO DI DESTINAZIONE					
AGENZIA					
PREZZI					
DURATA SOGGIORNO					
ALTRE INFORMAZIONI					

Esercizio 2 [a]

Quali fra le vacanze proposte, sceglierebbero secondo te, le persone qui sotto elencate:

(a) Una famiglia amante dello sport che preferisce usufruire del periodo di ferie durante l'inverno.
(b) Una coppia di giovani che sta visitando le capitali europee viaggiando in modo economico.
(c) Un gruppo di cinque studenti che vogliono imparare l'inglese.
(d) Un gruppo di amici amanti delle crociere.
(e) Due persone che vogliono trascorrere le vacanze pasquali in isole soleggiate.

Esercizio 3

Prepara una breve descrizione di una tua vacanza fatta recentemente. Metti in evidenza:

— destinazione
— durata del soggiorno
— prezzo
— tipo di sistemazione
— eventuali altre informazioni utili

Esercizio 4 [b]

Hai deciso di trascorrere·una vacanza studio in Inghilterra, a Cambridge. Compila la scheda di iscrizione, consultando il programma di Cambridge per quanto riguarda la prima pàrte della scheda.

b

FREE TIME

Via Maurizio Gonzaga, 4
Tel. 34.98.101 - 878.818 - 20123 MILANO
Telex 334513

SCHEDA DI ISCRIZIONE

Soggiorno a: ....

dal .... al .... n. settimane ....

Cognome .... Nome ....

Via .... Città .... C.A.P. ....

Tel. .... Data di nascita .... Comune di nascita ....

Professione .... presso (scuola o luogo di lavoro) ....

Professione del padre .... Hobbies ....

Passaporto o carta d'identità N° .... rilasciato a .... in data ....

Partenza da: MILANO ☐   ROMA ☐   .... ☐

Grado di conoscenza della lingua:

☐ principiante   ☐ elementare   ☐ medio   ☐ avanzato   Anni/studio della lingua ....

Recapito estivo dei genitori ....

Esigenze particolari ....

....

L'acconto di Lit. 200.000 (180.000 + 20.000 quota iscr.) è stato versato in data ....

☐   a mezzo vaglia postale o telegrafico

☐   in contanti

☐   a mezzo assegno n. .... Banca ....

data .... Firma ....

Spazio riservato all'Ufficio:

....

....

....

(Apporre le firme d'obbligo sul retro della presente)

Nome del professore presentatore
o dell'ufficio corrispondente

....

....

....

33

Leggi le seguenti 'informazioni generali' che riguardano una vacanza studio e fa' l'esercizio 5.

INFORMAZIONI GENERALI

La domanda di iscrizione compilata dovrà pervenire assieme ad un acconto di L. 160.000 (per soggorni in Europa) o di L. 260.000 (soggorni in U.S.A. e Canada) e della quota di iscrizione di L. 40.000. Tale pagamento dovrà essere effettuato *solo* per contante o a mezzo assegno. Il saldo dovrà pervenire con le stesse modalità almeno 40 giorni prima della partenza con *l'indicazione precisa del tipo di soggiorno e relative date.*

L'indirizzo della famiglia o del College ospitante sarà comunicato alcuni giorni prima della partenza assieme agli orari definitivi ed al luogo di riunione per le partenze in gruppo. Per motivi organizzativi gli indirizzi delle famiglie americane vengono comunicati solo poco tempo prima della partenza.

Eccezionalmente, per ragioni organizzative, le date dei soggiorni potranno subire slittamenti di uno o due giorni. Il numero dei giorni di permanenza verrà comunque rispettato; se ciò dovesse rendersi assolutamente impossibile verranno rimborsate o richieste L. 20.000 per ogni giorni in meno o in più rispetto al previsto

Si raccomanda ai partecipanti di fare immediatamente presente agli accompagnatori o all'Ufficio locale eventuali problemi che dovessero presentarsi durante il soggiorno affinchè si possa provvedere a risolverli tempestivamente.

Non si terrà conto di eventuali reclami notificati a posteriori quando non sia stato richiesto per iscritto, nel corso del soggiorno, l'intervento dei responsabili locali. I reclami dovranno essere notificati alla società organizzatrice per iscritto.

Il corso, a vari livelli, dall'elementare all'avanzato sarà svolto esclusivamente a cura di **insegnanti qualificati di madre lingua** durante 3 ore di 45 minuti al mattino. La scuola è equipaggiata con laboratorio linguistico ed attrezzature audiovisive e provvederà a fornire tutto il materiale didattico. Alla fine di ogni corso gli studenti verranno sottoposti ad un esame in conformità del quale verrà rilasciato un attestato. Le disposizioni valutarie attualmente vigenti consentono ad ogni cittadino italiano di esportare, nell'arco dell'anno, fino ad un massimo di L. 1.100.000 suddivise come segue:

L. 200.000 in valuta italiana (in tagli non superiori a L. 50.000)
L. 100.000 in valuta estera
L. 800.000 tramite assegno incassabile in banca estera o travel check.

Esercizio 5

Leggi le 'informazioni generali' e decidi se le affermazioni sono vere o false. Correggi quelle false.

(a) La domanda d'iscrizione per un viaggio in Europa deve essere accompagnata da 200.000 lire.

(b) L'intera somma per il viaggio deve essere versata almeno due mesi prima della partenza.

(c) Le date dei soggiorni saranno sempre rispettate.

(d) La scuola fornirà i libri necessari per il corso di lingua.

(e) Ogni studente potrà portare 300.000 lire nella valuta del paese in cui si reca a studiare.

(f) Gli accompagnatori e l'Ufficio sono disponibili, durante il soggiorno, a risolvere eventuali problemi.

GIOCHI 1

Gioco 1

PAROLE CROCIATE

Completa le parole crociate leggendo le definizioni orizzontali e
verticali ed aiutandoti, in caso di difficoltà, con le soluzioni date
qui a lato in ordine sparso.

ROTTO
CASA
ETTO
TO
RO
ALLE
STANCO
CENA
CON
LAICO
EC
CO
OLTRE
ED
DO
ARIA

Orizzontali

1. Sigla automobilistica della città di Como.
5. Preposizione articolata plurale.
7. Sigla automobilistica della città di Rovigo.
8. Molto affaticato.
9. La respiriamo tutti.
11. Due lettere di 'ecco'.
12. Cento grammi.
13. Nota musicale.

Verticali

1. Abitazione.
2. Più avanti.
3. Pasto serale.
4. Sigla automobilistica della città di Torino.
6. Non religioso.
7. Non intero.
10. In compagnia di . . .
12. 'e' . . . davanti ad una vocale.

Gioco 2

Trova per ciascuna definizione il rispettivo vocabolo da scegliere fra i seguenti:

Vocaboli

ottobre rosa allodola Europa
caffè Roma Calabria ippopotamo

Le iniziali dei vocaboli, lette verticalmente, formeranno un tipo di vacanza proposta nell'unità 'Vacanze'!

Definizioni

Regione   Animale·

Città   Continente

Mese   Fiore

Bevanda   Uccello

Gioco 3

Trova per ogni 'domanda bizzarra' la giusta risposta fra quelle proposte.

Es. a-6

(a) Nonostante i vari stop raggiunge
velocemente la propria destinazione   1 La radice
(b) Si vede finché non è fatta.   2 Il silenzio
(c) Più cresce e più va in basso.   3 La sigaretta
(d) Quello dei bambini è più pesante
di quello dei vecchi.   4 Il sonno
(e) Più la tiri e più si accorcia.   5 La barba
(f) Non puoi dirlo senza romperlo.   6 Il telegramma

Prova a ripetere velocemente senza sbagliare . . .

SOPRA LA PANCA LA CAPRA CAMPA SOTTO LA
PANCA LA CAPRA CREPA!

PARTE SECONDA

Il giornale

Tutti i tipi di informazione riportati in quest'unità sono stati tratti da diversi settori dei quotidiani: cronaca, notizie dall'estero, pubblicità, sport, etc.

Le altre unità di questa seconda parte del libro sono invece basate ognuna su un particolare settore dei quotidiani.

Scorri le informazioni qui riportate e fa' gli esercizi 1, 2, 3.

A

LONDRA, 16 — La finale del singolare maschile del torneo di Wimbledon si giocherà di domenica e non più di sabato. Gli organizzatori hanno interrotto la storica tradizione per guadagnare circa 400.000 sterline in più in diritti televisivi.

B

QUESTA SERA, con la Mississippi Delta Blues Band parte al Palasport imolese una nuova serie di concerti, tutta dedicata al blues, con un progetto panoramico che tenterà di includere tutte le tendenze. La Mississippi Delta Blues Band ha il suo leader in Sam Mjers, voce e armonica. Questo anziano bluesman, oramai praticamente cieco (porta sempre lenti spessissime), ha già al suo attivo diverse tournée nel vecchio continente. La sua musica ha radici nel Blues Land delle grandi piantagioni del Sud; ma introduce anche temi più «urbani», elettrici. Con Myers suoneranno: Robert Deance (chitarra solista), Norman Hill (basso), Richard Milton (batteria) e Gary Asazawa (chitarra ritmica). Si comincia alle 21 al Palasport di Imola. *(w. f.)*

C

La penna Cross è il regalo che rimane per tutta la vita. La sua eleganza e la sua classe sfidano il passare degli anni continuando a dare una perfetta scrittura. Le penne Cross sono garantite per tutta la vita. Incondizionatamente

D

GINEVRA — Il partito svizzero che, essendo di destra, si chiama «Unione di centro», ha approvato ieri il testo di un'iniziativa popolare per abolire l'ora legale nella Confederazione.

L'anno scorso la Svizzera aveva seguito per la prima volta, e con molta riluttanza, i paesi vicini nell'adozione dell'ora che qui si chiama «estiva». Ma l'esperimento, peraltro ripetuto come da noi da domenica 28 marzo, ha suscitato malumori e proteste specialmente nel mondo contadino. Sembra infatti che le vacche svizzere, molto più sensibili delle nostre, abbiano infinite difficoltà ad adattarsi all'ora legale. Conseguenza: darebbero meno latte. Ciò che irrita non poco i contadini, senza dubbio i più ricchi ma anche i più conservatori d'Europa. I quali lamentano anche che le luminose serate estive li invitino — e quindi in un certo senso li obblighino — a lavorare più a lungo nei campi. Protestano anche le madri di famiglia: i figlioli stanno alzati la sera troppo tardi, e la mattina vanno a scuola ancora addormentati. E' dunque la volta degli insegnanti di non nascondere il loro malcontento: queste veglie prolungate mettono a repentaglio, dicono, due dei beni più preziosi degli scolari, la cultura e la salute.

39

E

12.30 **MERIDIANA** - Informazioni, testimonianze, consigli e materiali d'uso per chi sta in casa e fuori

13.00 **TG 2 - ORE TREDICI**

13.30 **1947: LA SCELTA DEMOCRATICA ITALIANA** - Un programma ideato e diretto da Mario Finamore. Con la collaborazione di Adriana Martinelli. Consulenza di Giuliana Matteotti. Presenta Paola Perissi. 2ª puntata: «I principi fondamentali della nostra Costituzione»

14.00 **IL POMERIGGIO** - Nel corso del programma: «Frate Indovino»

14.10 **I GRANDI CAMALEONTI** - «Appuntamento con la storia» di Federico Zardi. Regia di Edmo Fenoglio. 9ª puntata

15.25 **LA NATURA E I BAMBINI** - Consulenza e testo di Maurilio Cipparone con la collaborazione di Maurizio Aiello. Regìa di Vito Bruschini

F

Nell'articolo del corrispondente di *Repubblica* dagli Stati Uniti, Rodolfo Brancoli, apparso il 28 agosto u.s., intitolato «Da Wall Street un voto di sfiducia per il programma economico di Reagan», ho letto con enorme sorpresa che «né gli europei *né i poveri* votano negli Stati Uniti...».

Poiché non mi sembra possa trattarsi d'un semplice errore di stampa, mi sento sgradevolmente sconcertato di fronte all'atroce dubbio che la decantata democrazia americana sia in realtà tanto zoppa.

Spero, caro Direttore, che vorrà darmi una mano per aiutarmi a superare il mio stato d'incertezza, mediante un chiarimento che rimetta le cose al loro giusto posto.

P. Emiliani

1

Svizzera
Proposto un referendum per abolire l'ora legale

2

A Wimbledon finale di domenica

3

■ Chi vota negli Usa?

4

CROSS®

5

Tv2

6

A Imola corre il concerto blues

40

Esercizio 1 [a]

Trova per ogni'articolo il titolo piu adatto fra quelli proposti.
Es. A-2

Esercizio 2 [a] [b]

Dopo aver fatto l'esercizio 1, inserisci ogni articolo con il suo giusto titolo in uno dei settori qui'sotto proposti.

Esercizio 3 [a]

Leggi gli articoli A, B, C, D, F e decidi se le seguenti affermazioni sono vere o false; correggi quelle false.

(a) L'ora legale ha influito positivamente sugli studenti svizzeri.
(b) Tutto il repertorio di 'Blues' presentato al concerto di Imola deriva dalla musica delle grandi piantagioni del Sud.
(c) Il signor Emiliani nella sua lettera è convinto che gli Stati Uniti siano un paese altamente democratico.
(d) La partita di Wimbledon è stata rinviata da sabato a domenica per permettere a più persone di andare a vedere la partita.

Esercizio 4

Leggi attentamente i seguenti articoli e trova per ognuno il titolo adatto usando al massimo sette parole. Controlla poi il tuo titolo con quello originale che troverai a pag. 79.

A

LONDRA — Un disegno di Rembrandt formato 13x24 intitolato «Studio di nudo per Cleopatra» è stato acquistato a un'asta della casa Christie per 300.000 sterline, un prezzo record per oggetti d'arte di questo genere.

B

FORT WORTH — Approfittando di una serie di circostanze fortuite, un giovane squilibrato ha assunto per due giorni la direzione di un ospedale nel Texas mostrandosi perfettamente all'altezza del compito.

C

CARBONDALE — Phil Carpenter e George Murray sono giunti nell'Illinois, partiti da Los Angeles, dopo aver attraversato i deserti dell'Arizone, le Montagne Rocciose, le pianure del Kansas e i monti Ozarks. Seduti su seggiole a rotelle. L'unica forza di propulsione del loro mezzo è stata la spinta con le braccie e le mani.

Notizie dall'estero

Scorri gli articoli qui riportati, tratti dalla pagina delle 'notizie dall'estero' di vari quotidiani italiani e fa' gli esercizi 1, 2, 3.

A

La fame nel mondo:

PARIGI — Più di venti milioni di bambini di meno di cinque anni sono morti di fame nel mondo nel 1981. La cifra rischia di essere ancora più tragica nel 1982. Le spese militari globali per contro hanno raggiunto nel mondo il nuovo primato di 600 miliardi di dollari. Lo dichiara in un'intervista concessa al quotidiano filosocialista «Le Matin», il direttore generale della «Fao», (Organizzazione delle Nazioni Unite per l'alimentazione e l'agricoltura) Eduard Saouma, attualmente a Parigi per partecipare a un colloquio sull'agricoltura voluto dal ministro francese responsabile di tale dicastero, signora Edith Cresson.

B

Celebrato anniversario morte di Goethe

VIENNA — Le due Germanie hanno ricordato ieri Johan Wolfgang Goethe nel 150° anniversario della scomparsa. A Weimar, dove il più grande poeta di lingua tedesca trascorse la maggior parte dell'esistenza e morì il 22 marzo del 1832, è stata celebrata una cerimonia ufficiale con la partecipazione del ministro della Cultura della Repubblica democratica tedesca.

C

Bomba a Teheran contro l'auto di un religioso: tre morti

TEHERAN — Un religioso della «crociata per la ricostruzione», l'hojatoleslam Mohammad Salem Hossi, e due guardiani della rivoluzione che gli facevano da scorta sono stati uccisi ieri mattina nel centro di Teheran da una bomba incendiaria lanciata da ignoti.

D

Scoperta la tomba della figlia del faraone che salvò Mosè dalle acque

IL CAIRO — A 25 chilometri a sud della capitale e a circa un chilometro e mezzo dalla piramide a gradini di Sakkara, l'egittologo inglese Geoffrey Martin ha riportato alla luce la tomba di una principessa egiziana, la quale potrebbe essere stata Taya, la «figlia del faraone» che, secondo un celebre brano della Bibbia, salvò dalle acque del fiume Nilo il piccolo Mosè custodito in una cesta e lo allevò presso di sé come un figlio.

E

Quanto vale una casalinga? 2 milioni al mese

LONDRA — Una casalinga in Inghilterra costa 204 sterline alla settimana (circa 2 milioni di lire al mese): lo stipendio di un vescovo, di un sergente maggiore o di un capo dei vigili del fuoco di una cittadina. Lo ha stabilito una compagnia di assicurazioni, «Legal and General», che ha commissionato un'inchiesta sull'argomento all'istituto Gallup.

Per tale cifra, la donna deve cucinare, accudire ai bambini, pulire la casa, cucire, lavare, stirare, provvedere all'acquisto dei generi alimentari e di quanto altro serve per la vita giornaliera, guidare l'automobile, ed espletare altre attività domestiche.

Orario di lavoro: dalle 7,30 alle 21 per sette giorni alla settimana.

F

Terremoto in Giappone 100 feriti

TOKIO — Un terremoto, il più violento degli ultimi dieci anni in Giappone, ha interessato ieri mattina l'intera isola settentrionale di Hokkaido. Secondo un primo calcolo, si registrano cento feriti, alcuni dei quali in gravi condizioni. Non si segnalano morti.

Il sisma, che secondo il centro meteorologico di Sapporo, ha raggiunto 7,3 gradi della scala Richter, ha avuto il suo epicentro in mare, al largo della città di Urakawa (costa orientale dell'Hokkaido) a una profondità di dieci chilometri.

Proprio a Urakawa, una cittadina di 20 mila abitanti, 55 edifici sono stati danneggiati dalla violenta scossa che ha provocato un maremoto con ondate di oltre due metri.

G

Il Columbia è in orbita

NEW YORK, 22 — Seppure con un'ora di ritardo, il Columbia è decollato stamane dal centro spaziale Kennedy. Tornerà, se tutto andrà come previsto, tra una settimana. Il rientro dello Shuttle potrebbe incontrare qualche problema per la rottura, pochi attimi dopo il lift-off, di uno dei tre motori che forniscono energia

Esercizio 1 [a]

Scorri gli articoli in modo da avere un'idea molto generale sul contenuto, e decidi quali potrebbero essere di particolare interesse per le seguenti persone:

(a) uno studioso di letteratura tedesca
(b) un archeologo
(c) le donne

Esercizio 2 [a]

Scorri gli articoli e decidi:

(a) quale articolo riguarda una catastrofe naturale
(b) quale articolo tratta problemi politici del Medio Oriente
(c) quali articoli trattano problemi sociali

Esercizio 3 **a**

Leggi le seguenti affermazioni ed in base agli articoli A, B, C, D, E, F, G decidi se sono vere o false. Correggi quelle false!

(a) Goethe trascorse tutta la sua vita a Weimar.
(b) La tomba della principessa Taya è stata scoperta a 25 chilometri dalla piramide di Sakkara.
(c) Il rientro del Columbia è previsto sette giorni dopo il suo decollo.
(d) La bomba contro l'auto di Mohammad Salem Hossi è stata lanciata da due guardiani della rivoluzione.
(e) Il terremoto in Giappone non ha provocato nessun morto.
(f) Si prevede che il numero dei bambini che muoiono di fame aumenterà.
(g) Una casalinga costa duemila sterline al mese.

Esercizio 4 **b**

Da questo articolo, che riguarda l'apertura di un ristorante italiano a Mosca, sono stati tolti i seguenti vocaboli:

partecipato arrivati presente aperta svolge

affollato consegnato costata coniare

Leggi attentamente l'articolo ed inserisci i vocaboli negli spazi vuoti.

b

Mosca Ristorante italiano a bordo di un battello sulla Moscova

MOSCA — Le autorità sovietiche hanno proposto l'apertura a Mosca di un ristorante italiano che dovrebbe essere ospitato a bordo di un battello sulla Moscova. E' questo il risultato di maggior rilievo della «Quindicina dell'arte culinaria italiana» che si ...... in questi giorni a Mosca e che ha come protagonista la catena italiana di ristoranti «Toulà». La recente inaugurazione di un locale «Toulà» nel centro degli scambi della capitale sovietica è ...... uno sforzo organizzativo di grandi dimensioni: sono ..... dall'Italia cuochi, camerieri e un intero autotreno carico di prodotti alimentari e vini. La manifestazione, la prima di questo genere organizzata in Unione Sovietica, ha avuto un grande successo presso la collettività straniera di Mosca e i sovietici che hanno .... il locale manifestando entusiasmo per la cucina italiana.

La «Quindicina dell'arte culinaria italiana», organizzata da Giovanni Savoretti, un pioniere degli scambi commerciali tra Italia e Urss, è stata ...... da una cena alla quale hanno ..... tra gli altri il sindaco di Mosca Vladimir Promyslov, vari membri del governo sovietico e l'ambasciatore d'Italia Giovanni Migliuolo.

All'inaugurazione era ..... anche il capo ufficio stampa del sindaco di Milano, Giuseppe Tarozzi, il quale ha ..... al sindaco di Mosca una medaglia commemorativa fatta ..... per l'occasione dal sindaco di Milano Carlo Tognoli.

Programmi radio T.V.

Scorri i programmi dei tre canali televisivi e fa' l'esercizio 1.

Esercizio 1

Cerca le informazioni qui sotto richieste.

TV 1

10,00 **STAGIONE LIRICA TV. «Andrea Chenier»,** di U. Giordano; direttore Bruno Bartoletti. Interpreti: Franco Corelli, Piero Cappuccilli, Celestina Casapietra, Giovanna di Rocco, Gabriella Carturan.

11,50 **I GRANDI FIUMI. Il Mississipi** (R)

12,30 **CHECK UP.** Programma di medicina

13,25 **CHE TEMPO FA**

13,30 **TELEGIORNALE**

14,00 **LE AVVENTURE DI NIGEL** (3) (R)

14,30 **«EFFETTO NOTTE».** Film. Regia di François Truffaut (1972), con Jacqueline Bisset, Valentina Cortese, Jean-Pierre Aumont, Francois Truffaut

16,30 **HAPPY DAYS:** «Le leggi del gruppo»

17,00 **TG1 FLASH.**

17,05 **APRITI SABATO. 90 MINUTI IN DIRETTA.** Viaggio in carovana.

18,35 **ESTRAZIONI DEL LOTTO**

18,45 **LE RAGIONI DELLA SPERANZA.** Riflessioni sul Vangelo.

18,50 **SPECIALE PARLAMENTO**

19,20 **ZIO ROBERT** - «Fotomodelli» (1. p.)

19,45 **ALMANACCO DEL GIORNO DOPO**

— **CHE TEMPO FA**

20,00 **TELEGIORNALE**

20,40 **TE LA DO' IO L'AMERICA.** Appunti di viaggio di Beppe Grillo - regìa di E. Trapani (6. trasm.)

22,00 **«IL BUON PAESE».** Programma di Enzo Biagi. Regìa di Luciano Arancio. **«Il giudice delle trame oscure»** (3). Pietro Calogero abita a Padova, con la famiglia. Il giudice dell'inchiesta 7 aprile è un uomo giovane, dall'aspetto sportivo, timido, gentile. Questo personaggio chiave di questi ultimi anni, fra molte reticenze dovute alla sua posizione, dice cose coraggiose e amare sul «Buon Paese», sulla giustizia, sulle trame oscure che ancora offendono l'Italia. L'intervista di Pietro Calogero è un atto di fede nella libertà dell'uomo e nella giustizia.

22,40 **«LEI», «Ciliegina e lo scavatore di lombrichi»,** regìa di Paul Annett. - 17 anni, alta, bruttina, Gaye trascorre un week-end con due ragazzi in un cottage al mare. Ingenua, curiosa ma intelligente non diventa la vittima dei suoi compagni ma dimostra di sapere controllare la situazione.

23,35 **TELEGIORNALE - CHE TEMPO FA**

TV2

10,00 TEATRO SABATO. «Il processo di Mary Dugan» (R)

11,30 INVITO, a cura di R. Caggiano

12,30 BILLY IL BUGIARDO. «Billy e il fratello gemello», telefilm

13,00 TG2 ORE TREDICI

13,30 TG2 - DI TASCA NOSTRA - Settimanale a cura del consumatore.

14,00 SCUOLA APERTA - Settimanale di problemi educativi

14,40 SABATO SPORT. Roma: Concorso ippico. Gran Premio Roma. - Perugia: Tennis - Campionati italiani d'Italia femminili

17,00 TG2 - FLASH

17,05 IL BARATTOLO, di S. Jurgens e G. Verde

18,55 ESTRAZIONI DEL LOTTO

19,00 TG2. DRIBBLING: Rotocalco sportivo del sabato.

— PREVISIONI DEL TEMPO

20,40 LA LETTERA SCARLATTA. 3. puntata, regìa di R. Hanser, con Weeg Foster e J. Heward Kewin. — Sono trascorsi sette anni dal giorno in cui Hester fu condannata per adulterio. Ormai la sua «A» scarlatta, agli occhi della gente, sta per «abnegazione», poiché Hester dedica tutta se stessa ai malati ed ai poveri. La piccola Perla rimane un enigma, che tormenta Hester, continuando a chiederle il significato della «A» scarlatta che porta sul petto...

21,45 TRIBUNA DEL REFERENDUM». Interviste Pci-Dc.

22,15 INDAGINE SU UN CITTADINO AL DI SOPRA DI OGNI SOSPETTO. Film, regìa di Elio Petri. Interpreti: Gian Maria Volon*é, Florinda Bolkan, Salvo Randone, Gianni Santuccio, Orazio Orlando, Massimo Foschi, Aldo Rendine. - Il capo della squadra omicidi di una grande città viene promosso dirigente dell'ufficio politico della questura. Nel giorno della promozione uccide la propria amante, Augusta Terzi, che lo ha deriso. Certo di essere al di sopra di ogni sospetto, paradossalmente moltiplica gli indizi a proprio carico. In seguito al fermo di un gruppo di studenti, uno di questi, Antonio Pace,

24,10 TG2 STANOTTE

T.V. 1 **a**

(a) A che ora c'è il programma di medicina.
(b) Chi è il regista del film 'Lei'.
(c) A che ora si possono ascoltare le previsioni del tempo.
(d) Quale programma tratta problemi religiosi.

T.V. 2 **b**

(a) Quale programma tratta il problema dell'educazione scolastica
(b) Quali programmi possono seguire gli appassionati di sport.
(c) Chi è Gian Maria Volonté.
(d) Quante puntate dello sceneggiato 'La Lettera Scarlatta' sono già state trasmesse.

47

TV3

19,00 TG3 - Intervallo con: Tom e Jerry, disegni animati
19,35 IL POLLICE. Programmi visti e da vedere sulla terza rete tv.
20,05 TUTTINSCENA. Rubrica settimanale di Folco Quilici.
20,40 SECRET ARMY - L'ESERCITO CLANDESTINO.(4. ep.): «Lo scorpione». Interpreti: Bernard Hepton, Jan Francis, Angela Harris
21,30 LA PAROLA E L'IMMAGINE. - Anno 2, numero 17.

T.V. 3

(a) Quale programma pensi possa interessare i bambini.
(b) Quante volte alla settimana viene trasmesso 'Tuttinscena'.
(c) Quali sono gli interpreti dello 'Scorpione'.
(d) Da quanti anni si trasmette 'La parola e l'immagine'.

Scorri i programmi dei tre canali radiofonici e fa' gli esercizi 2, 3.

Radio 1

Giornali radio: 7; 8; 8,30; 9; 10; 12; 15; 19; 21; 23.
6,00 (6,54, 7,25, 8,40) La combinazione musicale
6,44 Panorama parlamentare
7,15 Qui parla il sud
9,00 Week end
10,03 (12,03, 15,03) Onda verde
10,05 Black-out
10,48 Incontri musicali del mio tipo
11,30 Cinecittà
12,00 Giardino d'inverno
12,30 Cronaca di un delitto
13,05 Estrazioni del Lotto
13,20 Mondo-Motori
13,30 Ironick alias Ernesto Bassignan
14,03 Incontri di «Voi ed Io»

15,05 Radiotaxi
16,00 Storia contro storie
16,30 Noi come voi
17,03 Onda verde
17,05 Dottore buonasera
17,30 Globetrotter
18,30 Obiettivo Europa
19,20 Ascolta si fa sera
19,25 Una storia del jazz (76)
20,00 Pinocchio, pinocchieri e pinocchioggi
20,30 Ribalta aperta
20,45 La freccia di Cupido
21,03 Onda verde
21,05 Musica della belle epoque: La danza
21,30 Galilei
22,00 Divertimento musicale
22,25 Onda verde
23,05 In diretta da Radio Uno - La telefonata

Radio 2

Giornali radio: 6,05; 6,30; 7,30; 8,30; 9,30; 11,30; 12,30; 13,30; 16,30; 17,30; 18,45; 19,30; 22,30
6,00 Il mattino ha l'oro in bocca
7,00 Bollettino del mare
8,24 Giocate con noi
9,05 Caccia alla meteora
9,32 (10,12) La famiglia dell'anno
10,00 Speciale Gr2 - Motori
11,00 Long Playing Hit
12,10 (14,00) Trasmissioni regionali

12,45 Contatto radio
13,41 Sound track
15,00 Un abete nei giardini di Vienna
15,30 GR2 - Economia
15,35 Hit Parade
16,32 Estrazioni del Lotto
16,37 Speciale GR2 agricoltura
17,02 Gli interrogativi non finiscono mai
17,32 Quartetto: Londra W 11
19,50 Ma cos'è questo umorismo?
21,00 I concerti di Roma
22,30 Bollettino del mare
22,50 Torino notte - Un dopocena - relax

Radio 3

d

Giornali radio: 6.45; 7.25; 9.45;
    11.45; 13.45; 15.45; 18.45;
    20.45; 23.55
6.00 Preludio
6.55 (10.45) Il concerto del matti-
      no
8.30 Film-concerto
9.45 Tempo e strade
10.00 Il mondo dell'economia
11.48 Succede in Italia
12.00 Antologia operistica
13.00 Pomeriggio musicale
15.18 Contro-sport
15.30 Un certo discorso
17.00 (19.15) Spaziotre
18.45 Quadrante internazionale
20.00 Pranzo alle otto
21.00 La musica
22.00 da Torino - Rassegna di mu-
      sicologia
23.15 Il jazz

Esercizio 2 **d**

Decidi quali programmi verrebbero scelti dalle seguenti persone:

(a) Un appassionato di musica classica
(b) Un uomo politico
(c) Una persona interessata allo sport
(d) Un appassionato di libri gialli

Esercizio 3 **d**

Trova per ogni programma qui elencato il giusto settore fra
quelli proposti, consultando i canali Radio 1, 2, 3.

Es. (a)-3

Programmi Radio 1, 2, 3	*Settori*
(a) Ore 13.20 Radio 1	1 Musica
(b) Ore 19.50 Radio 2	2 Previsioni metereologiche
(c) Ore 7.00 Radio 2	3 Sport
(d) Ore 12.10 Radio 2	4 Condizioni delle strade
(e) Ore 9.45 Radio 3	5 Inchieste
(f) Ore 6.00 Radio 3	6 Notiziari

Esercizio 4

Dividetevi in gruppi ed ogni gruppo organizzi una serie di
programmi pomeridiani per la radio.

Dovete decidere:

● quali programmi scegliere
● la durata dei programmi
● i contenuti dei programmi

CHI HA PAURA DELLA TV?

Un'indagine svolta a Torino dalla facoltà di scienze politiche rivela che la televisione è ancora la bestia nera di molti, troppi insegnanti. Tutti i professori interrogati danno della televisione un giudizio sempre, assolutamente, semplicisticamente negativo. Ma le cose sono assai più complicate.

Intanto, tutti gli allievi giudicati "ottimi" dagli stessi insegnanti presentano un alto indice di ascolto, dalle quattro alle sette ore al giorno. Ma, in modo apparentemente paradossale, anche i "pessimi" hanno un indice d'ascolto più alto della media.

Si può supporre che questa polarizzazione sia dovuta al fatto che la televisione è utile per chi è in grado di capirla, scegliendone i programmi; e travolge e assorbe totalmente chi non può che subirne altro che un fascino irrazionale.

L'enorme salto di qualità e quantità nella diffusione di informazione e spettacoli prodotto dalla televisione ha posto la scuola dinanzi a compiti nuovi. Gli insegnanti dovrebbero sapere fare un altrettanto grande sforzo di acquisizione di nuove capacità critiche, intellettuali, per mettere gli allievi in grado di usare, e non solo di subire, i tesori di informazione e cultura che la televisione offre o, meglio, può offrire se la si sa sfruttare.

Esercizio 5 [e]

Leggi l'articolo 'Chi ha paura della TV' tratto dalla rivista settimanale 'L'Espresso', e fa' l'esercizio.

Decidi se le seguenti affermazioni sono vere o false. Correggi quelle false.

(a) Molti insegnanti giudicano positivamente la T.V.
(b) Gli alunni meno preparati ascoltano poco la T.V.
(c) La T.V. ha un effetto negativo su chi non sa scegliere i programmi razionalmente.
(d) Gli spettacoli e le informazioni alla T.V. sono migliorati.
(e) Gli insegnanti dovrebbero convincere i ragazzi a non guardare la T.V.
(f) I ragazzi dovrebbero imparare a sfruttare meglio le informazioni e la cultura offerte dalla T.V.

Sport

Scorri gli articoli tratti dalla pagina sportiva di un quotidiano
e fa' gli esercizi 1, 2, 3.

Esercizio 1 **a**

Trova per ogni articolo il giusto titolo fra quelli proposti.

Es. A-3

A Giacomelli a Zolder
soddisfatto delle gomme

B JUNIORES
Italia
Francia
2
2

C Coppa del Mondo:
l'Italia
impegna i polacchi

D A Cortina
rubati anche
i cinque cerchi

E *Clay ritorna
a combattere
in dicembre*

F *Raid distruttivo
allo stadio di
Napoli*

G McEnroe a Wembley
dà in escandescenze

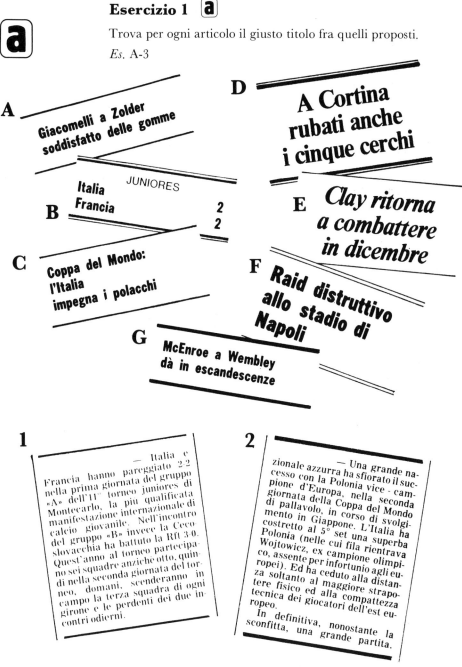

1 — Italia e
Francia hanno pareggiato 2-2
nella prima giornata del gruppo
«A» dell'11° torneo juniores di
Montecarlo, la più qualificata
manifestazione internazionale di
calcio giovanile. Nell'incontro
del gruppo «B» invece la Ceco-
slovacchia ha battuto la Rft 3-0.
Quest'anno al torneo partecipano sei squadre anziché otto, quindi nella seconda giornata del torneo, domani, scenderanno in
campo la terza squadra di ogni
girone e le perdenti dei due incontri odierni.

2 — Una grande na-
zionale azzurra ha sfiorato il successo con la Polonia vice - campione d'Europa, nella seconda
giornata della Coppa del Mondo
di pallavolo, in corso di svolgi-
mento in Giappone. L'Italia ha
costretto al 5° set una superba
Polonia (nelle cui fila rientrava
Wojtowicz, ex campione olimpi-
co, assente per infortunio agli europei). Ed ha ceduto alla distan-
za soltanto al maggiore strapo-
tere fisico ed alla compattezza
tecnica dei giocatori dell'est europeo.
In definitiva, nonostante la
sconfitta, una grande partita.

51

3

— Bruno Giacomelli è il più soddisfatto fra i piloti che hanno provato la pista, grazie ai nuovi pneumatici montati dall'Alfa Romeo in vista del Gran Premio del Belgio di Formula uno, in programma quest'altra domenica.

Giacomelli ha, infatti, ottenuto il tempo più veloce qui a Zolder nella seduta di prove non ufficiali di giovedì, in 1'23"9 (i tempi di ieri non sono indicativi perchè la giornata è stata disturbata dalla pioggia).

Anche Elio De Angelis ha provato la nuova Lotus, ed ha manifestato un apprezzamento discreto. Il secondo miglior tempo sul giro è stato ottenuto da Jean-Pierre Jabouille su Talbot-Ligier. La nuova Renault Re-30 non ha fatto vedere gran che, fino ad ora.

4

— Novecento sedie delle tribune stampa e autorità sono state distrutte allo stadio San Paolo da ignoti vandali che hanno anche tagliato cavi telefonici, collegamenti radiotelevisivi e distrutto il banco frigorifero e i banchi del bar e della bouvette.

L'assalto allo stadio è avvenuto con due raids distinti in pieno giorno.

5

Ignoti hanno rubato a Cortina i cerchi olimpici posti alla base del trampolino costruito in occasione dei Giochi del 1956. Il valore dei cinque anelli, realizzati in legno verniciato con un diametro di due metri e mezzo, è del tutto insignificante per cui si ritiene che il furto sia opera di vandali. Non si esclude, comunque, che il gesto sia da collegarsi, in qualche modo, alla bocciatura della candidatura di Cortina per le olimpiadi invernali del 1988, avvenuta a fine settembre durante il congresso di Baden-Baden del Cio.

6

— Con una borsa di circa quattro milioni di dollari (oltre quattro miliardi e mezzo di lire) il quarantenne Muhammed Alì, tre volte campione del mondo dei massimi, tornerà sul ring l'11 dicembre prossimo a Nassau nelle Bahamas. Incontrerà il canadese Trevor Berbick, il pugile di origine giamaicana che era stato battuto ai punti da Larry Holmes nello scorso aprile, quello stesso Holmes che nell'ottobre dell'80 aveva battuto Alì (per ar resto dell'incontro all'undicesima ripresa) in occasione dell'ultimo combattimento di Alì. Secondo gli organizzatori l'ex campione sarebbe in «piena forma».

7

— Jimmy Connors ha vinto ieri da grande campione la finale del torneo tennistico londinese Benson and Hedges, in una serata definibile tempestosa e disastrosa si può eufemisticamente definire sotto tutti i riguardi per il campione uscente del torneo, John McEnroe. 3-6 2-6 6-3 6-4 6-2 il punteggio finale dopo due ore di lotta per il vincitore, che ha avuto la forza morale di rimontare vigorosamente le due partite iniziali perdute

Oltre a perdere il trofeo che si era aggiudicato ininterrottamente nei tre anni scorsi, il focoso newyorkese è stato multato di 700 dollari per gli improperi ad alta voce e gli alterchi che ha inscenato

Esercizio 2 [a]

Scorri gli articoli e decidi quali trattano di:

(a) Pallavolo
(b) Gare automobilistiche
(c) Calcio
(d) Pugilato
(e) Atti di vandalismo
(f) Tennis

Esercizio 3 [a]

Leggi gli articoli sportivi e trova le informazioni richieste qui sotto:

(a) Da chi è stato ottenuto il secondo miglior tempo in vista del Gran Premio del Belgio di Formula 1.

(b) Cos'è avvenuto durante i due raid allo stadio S. Paolo.

(c) Perchè McEnroe ha passato una serata tempestosa e disastrosa.

(d) Contro chi ha perso l'ultimo combattimento Muhammed Ali.

(e) Alla manifestazione internazionale di calcio giovanile, partecipano più, o meno squadre dello scorso anno.

(f) Quali spiegazioni vengono date a proposito del furto avvenuto a Cortina.

(g) L'Italia ha vinto o perso l'incontro di pallavolo contro la Polonia.

Esercizio 4

Scrivi una breve cronaca di un avvenimento sportivo che hai visto recentemente, specificando:

— tipo di sport
— partecipanti singoli o squadre
— luogo e data dell'incontro
— risultati
— comportamento del pubblico

Esercizio 5

Molti verbi italiani cambiano significato in base al prefisso. Inserisci i seguenti verbi derivati dal verbo 'tenere' nelle frasi qui sotto:

sostenere contengono mantenere trattenerci ritengo

tenere ottenuto

Es. (a) Giacomelli ha ottenuto il tempo più veloce.

(b) Posso .... ancora per qualche giorno il libro che mi hai prestato?

(c) Continua a .... che lui non è il colpevole.

(d) Non è possibile .... una famiglia con uno stipendio così basso!

(e) Le nuove damigiane .... 20 litri di vino.

(f) Non possiamo .... più a lungo, abbiamo un appuntamento.

(g) .... che quello che tu dici sia completamente assurdo.

Pagina culturale

Leggi l'articolo che riguarda Modigliani, un famoso pittore italiano, e fa' l'esercizio 1.

a

Povero, bello e dannato

Ora che la mostra di Modigliani ha entusiasmato Parigi (più di un milione di visitatori), noi italiani possiamo domandarci perché né Roma né Firenze né Livorno abbiano sentito la necessità di rendere questo doveroso omaggio a un pittore famoso in tutto il mondo. Famoso e sfortunato. Riassumiamone la vita: servirà a confermare questo giudizio.

Amedeo Modigliani, detto Dedo, nacque a Livorno nel 1884. Studiò a Firenze e a Venezia. A ventidue anni, dopo un lungo soggiorno a Capri che avrebbe dovuto attenuare la grave forma tubercolare di cui soffriva, si trasferì a Parigi, ch'era allora il ritrovo di tutti i grandi pittori. Prese una camera in un piccolo albergo di rue Royale; ma qualche giorno dopo, alla Galerie Sagot, incontro Pablo Picasso e questi lo convinse a trasferirsi nel leggendario Bateau Lavoir.

Nel 1915 trovò finalmente un mercante, Jan Zborowsky, di origine polacca, che gli impose di dipingere solo donne, possibilmente nude. Con lo «stipendio» di Zborowsky, Modigliani, che già si faceva chiamare Modì, pagò i debiti e si assicurò la tranquillità economica; ciò gli permise fra l'altro di dedicarsi anche alla scultura, più per passione che per calcolo

Nel 1917, Modigliani espose in una galleria di Zurigo coi più grandi nomi della pittura europea: Picasso, Soutine, De Chirico, Kandinski, Klee, Kokoscha. In quell'occasione furono particolarmente apprezzate «le belle donne dai colli lunghi», che i critici di allora fecero derivare dalle Madonne senesi.

Mentre i collezionisti cominciavano a contendersi i suoi quadri il pittore era ricoverato in una clinica di Nizza. La sua tubercolosi peggiorava; qualcuno parlava di morte imminente.

In Provenza, dove si era rifugiato per cercare un po' di sole, il pittore italiano incontrò uno dei grandi maestri dell'impressionismo: Jean Renoir. Ricevette da lui parole di elogio e di conforto «per quei colori intensi, smaltati, preziosi». Secondo un minuzioso biografo, Renoir gli disse fra l'altro: «Vedendo i vostri quadri, si capisce che potete essere solo italiano anzi toscano».

Fu una delle poche gioie della sua breve e tragica vita.

«Testa di donna» (pietra)

Morì a trentasei anni, in un letto dell'ospedale della Charité. Era il 24 gennaio del 1920. Il giorno dopo, la moglie si uccise.

Ignazio Mormino

54

Esercizio 1 [a]

Dopo aver letto l'articolo 'Povero, bello e dannato', decidi se le seguenti affermazioni sono vere o false.

(a) A Firenze è stata allestita una mostra di Modigliani.
(b) Modigliani risiedette a Capri per motivi di salute.
(c) A Parigi visse a lungo in albergo.
(d) Modigliani era anche scultore.
(e) Dopo la mostra a Zurigo, Modigliani fu molto apprezzato dai critici.
(f) Renoir ammirò molto i lavori di Modigliani.
(g) Modigliani morì in età avanzata.

Esercizio 2

Prepara un breve articolo descrivendo una mostra di pittura di un particolare artista, visitata recentemente, specificando:
— luogo e durata della mostra
— autore dei quadri
— informazioni sulla vita del pittore
— le tue impressioni sulla mostra

Leggi attentamente l'articolo sui'Capolavori indifesi' tratto dalla rivista settimanale 'L'Espresso' e fa' l'esercizio 3.

b

CAPOLAVORI INDIFESI

E'vero che un quadro rubato avrà migliore fortuna in un museo straniero che in Italia? Non tanto; perché probabilmente, durante il restauro, rischierà di essere rovinato. Certamente però sarà al sicuro dai ladri mentre, da noi, la difesa dei musei pubblici, delle chiese e delle grandi raccolte di opere d'arte, è molto scarsa. Le cause di questa situazione sono le seguenti: lo Stato italiano si occupa poco sia del patrimonio artistico pubblico, sia di quello privato; nei musei il personale è scarso e mal addestrato; gli impianti antifurto non ci sono o non funzionano; molti musei non hanno sedi proprie ed adeguate. La maggior parte delle opere d'arte rubate, tornano indietro per le difficoltà che incontrano nei mercati ma, i danni che subiscono durante questa avventura, sono talvolta incalcolabili.

Inoltre le ricerche fatte dai carabinieri si devono fermare alla frontiera mentre le opere rubate vengono illecitamente esportate all'estero. Una volta ci si poteva fidare della serietà professionale dei dirigenti dei ricchi musei stranieri attenti ad acquistare solo merce 'pulita'. Oggi, invece, l'ex direttore di un museo straniero ha addirittura scritto un libro per vantarsi dei furti preparati in Italia. Ma c'è anche chi ruba senza dirlo e quindi l'Italia dovrebbe difendersi migliorando la tecnica di custodia e protezione delle proprie opere d'arte. Inoltre sarebbe necessario stabilire delle norme internazionali per obbligare tutti i paesi a restituire le opere rubate o esportate illecitamente.
(Riduzione dall' articolo di G. Argan da L'Espresso del 18.10.1981.)

Esercizio 3 **b**

Decidi quale fra le tre affermazioni proposte è quella giusta.

(a) All'estero un quadro rubato . . .
  1 avrà migliore fortuna
  2 verrà restaurato adeguatamente e rivenduto
  3 sarà al sicuro da eventuali furti

(b) Lo Stato italiano . . .
  1 non si occupa dei capolavori di proprietà privata
  2 si occupa del patrimonio artistico pubblico
  3 si preoccupa che i musei siano ben custoditi

(c) Le opere rubate . . .
  1 subiscono lievi danni
  2 possono subire seri danni
  3 vengono trattate con il massimo dell'attenzione

(d) Oggigiorno alcuni dirigenti dei musei stranieri . . .
  1 sono ancora professionalmente seri
  2 non acquistano merce rubata
  3 sono orgogliosi dei propri furti

(e) I responsabili del patrimonio artistico italiano dovrebbero . . .
  1 vietare che ad ogni paese vengano restituite le proprie
    opere d'arte
  2 vietare il mercato illecito di opere d'arte
  3 vietare l'esportazione di opere d'arte

Esercizio 4

Dal momento che si possono avere opinioni diverse riguardo al problema della conservazione delle opere d'arte, discuti in piccoli gruppi se . . .

'È meglio che un'opera d'arte rimanga nel suo luogo d'origine, non propriamente custodita e restaurata, o è meglio che venga esportata (anche illegalmente) in musei stranieri dove verrà maggiormente valorizzata?'

Recensioni

Scorri le recensioni dei libri e fa' gli esercizi 1, 2.

Esercizio 1 **a**

Inserisci ogni libro nel giusto settore.

Gianni Granzotto
Annibale
Di Annibale si è parlato tanto. Ma in questa biografia, Granzotto tenta qualcosa di assolutamente nuovo: far rivivere il grande condottiero confrontandolo con la mentalità, le ansie, le esperienze dell'uomo moderno.
Pag. 324 - **L. 18.500 - Cod. 18549**

Sigmund Freud
L'interpretazione dei sogni
L'interpretazione dei sogni quale chiave rivelatrice della psiche suscita tuttora inquietanti interrogativi. In quest'opera Freud sanciva la nascita della rivoluzionaria scienza dell'inconscio.
Pag. 588 - **L. 15.000**

Geoffrey Hawthorn
Storia della sociologia
Storia, politica e teorie sociali in un quadro vivace e completo che, dall'ottimismo degli illuministi, giunge al disincanto critico della nostra epoca. Un contributo fondamentale alle scienze umane.
Pag. 400 - **L. 18.000 - Cod. 19380**

Giulio Andreotti
Diari 1976-1979
Gli anni della solidarietà
Giulio Andreotti ha fissato sulla carta i contatti, le speranze, i successi e le delusioni del triennio della "solidarietà nazionale"
Pag. 372 - **L. 23.000 - Cod. 22079**

Thomas Hoving
Tutankhamon
Il mistero di Tutankhamon non ha smesso di affascinare gli studiosi di tutto il mondo. Come si arrivò alla scoperta della sua tomba e della sua antichissima mummia dorata? Hoving, uno dei più grandi esperti in materia, lo rivela in queste pagine indimenticabili.
Pag. 360 - **L. 15.000 - Cod. 15917**

UMBERTO ECO
IL NOME DELLA ROSA
Premio Strega 1981

Umberto Eco
Il nome della rosa
È il romanzo protagonista dell'ultimo
scorcio della stagione letteraria. Un
giallo medievale ricco di idee e di ideali.
Pag. 504 - L. 9.600 - Cod. 19828

Pia De Bernardis, **Il giardino dei nonni** (Rebellato, lire
6.000). Una vita d'altri tempi fra città e campagna, fra
nord e sud, nelle quiete e
agiate spire d'una tradizione
patriarcale borghese rievoca-
ta nelle sue dolcezze fino
alla tragedia della guerra.

L'arco della crisi (Ispi, lire
8.000). A cura di Fabio Tana, una serie di saggi e interventi sulla vasta area geo-
politica che, dal Mediterraneo orientale all'Oceano Indiano, si trova in situazione
di cronica e pericolosa in-
stabilità: mondo arabo. Cor-
no d'Africa, non allineati,
Iran, Iraq, Afganistan e, die-
tro, le due superpotenze che
si fronteggiano.

Settori

Politica	Narrativa
Archeologia	Biografie
Psicologia	Sociologia

Esercizio 2   **a**

Quale libro sceglieresti fra quelli proposti per migliorare le tue
conoscenze su:

(a) Il problema del Medio Oriente
(b) La storia dell'Antico Egitto
(c) L'importanza dei sogni nella vita dell'uomo
(d) Le vite di personaggi celebri
(e) Narrativa italiana

Esercizio 3 **a**

Quali dei libri elencati compreresti e perché?

Esercizio 4

Descrivi brevemente un libro letto recentemente, specificando:
— autore
— settore a cui appartiene
— contenuto a grandi linee
— numero delle pagine (circa)
— prezzo

Scorri le recensioni dei film e fa' gli esercizi 5, 6.

Esercizio 5 **b**

Inserisci ogni film nel giusto settore.

Il Gattopardo
di Luchino Visconti; con Burt Lancaster, Claudia Cardinale, Alain Delon, Rina Morelli, Romolo Valli; 1963

Il clamore che suscitò l'apparizione del romanzo di Tomasi di Lampedusa, si ripeté puntualmente con l'arrivo del film, un'opera grandiosa e minuziosamente rivisitata. Il tema del libro, una descrizione polemica del Risorgimento italiano, si adattava particolarmente alla sensibilità di Visconti, riallacciandosi idealmente alla lezione di «Senso». Rispetto al romanzo, Visconti carica la storia di tinte melodrammatiche. Molte le scene da antologia: dalla battaglia per le vie di Palermo, al cinico e triste finale. Ma la sequenza che fece epoca è il famoso ballo al suono di un valzer.

(Ariston)

New York New York
di Martin Scorsese; con Bob De Niro e Liza Minnelli; 1977.

Dieci anni di musica americana in quella che assomiglia a una versione moderna, intelligente e sensibile di «E' nata una stella». Lei è una brava cantante, lui uno straordinario sassofonista; tutti e due si amano in maniera sbagliata sullo sfondo di un difficile dopoguerra. Martin Scorsese si riconferma, con questo film, uno dei registi più geniali della nuova leva di Hollywood. E De Niro e Minelli non sono da meno.

(Etoile)

Incubo sulla città contaminata
di Umberto Lenzi; con Hugo Stiglitz, Luara Trotter, Maria Luisa Omaggio, Francisco Rabal, Mel Ferrer; 1981

Gli zombi si tecnicizzano: questa volta, anziché da bare dimenticate, arrivano ad invadere una città su moderni aerei e provvisti di armi automatiche. Il contagio, tuttavia, continuano a trasmetterlo con i loro morsi. Contro i mostri, un gruppetto di intrepidi, formato principalmente da giornalisti e militari. La struttura è quella, ormai sperimentata, dell'horror nostrano; unica variante l'ambientazione questa volta stranamente urbana e moderna.

(Royal)

59

■ Complotto di famiglia

di Alfred Hitchcock; con Barbara Harris, Bruce Dern, Karen Black, William Devane; 1976

Per il suo addio al cinema Hitchcock si affidò ad una storia complicata e ricca di sorprese, resa credibile dal suo magistrale talento. Al centro della vicenda due coppie: la prima formata da due simpatici imbroglioncelli e la seconda da due pericolosi criminali. Non sospettando la vera identità dei «cattivi», i «buoni» sono sulle loro tracce spinti dalla promessa di una ricca signora che vuole rivedere il proprio figlio perso di vista e diventato nel frattempo il crudele bandito. E gli eroi rischiano la pelle più volte, in modi sempre spettacolari, tutti da godere.

(America)

Il marchese del Grillo

REGIA: Mario Monicelli. INTERPRETI: Alberto Sordi, Paolo Stoppa, Marc Porel.

Rivivono le imprese e le feroci burle di uno dei personaggi più popolari della Roma del primo Ottocento. Il marchese del Grillo vive in una casa da fiaba, circondato da personaggi altrettanto fiabeschi che vivono ognuno in un mondo a sé stante, rifiutando di aprire gli occhi sulla realtà che sta cambiando. Per fuggire alla noia, il marchese si mescola spesso al popolo frequentando osterie e luoghi di malaffare e combinando beffe che toccano tutti.

Settori

Commedie

Storico

Musicali

Fantastici e fantascienza

Poliziesco

Esercizio 6

Cerca le informazioni richieste qui sotto leggendo le recensioni sui film.

(a) Chi è il regista di 'Il Gattopardo'.
(b) Quale ruolo hanno Liza Minelli e Bob De Niro nel film 'New York New York'.
(c) Chi combatte contro gli Zombi nel film 'Incubo sulla città incontaminata'.
(d) Dove e quando è ambientato il film 'Il Marchese del Grillo'.
(e) Chi sono i 'buoni' ed i 'cattivi' nel film di Hitchcock. In che anno è stato girato il film.

Esercizio 7

Descrivi brevemente un film visto recentemente, specificando:

— titolo   — interpreti principali
— regista   — brevi cenni sulla trama del film
— settore

60

Pagina umoristica

I fumetti e le barzellette presentati in questa unità sono stati tratti dalla pagina umoristica di diversi quotidiani e riviste. Divertiti facendo gli esercizi 1, 2, 3.

Esercizio 1

Metti nel giusto ordine le vignette in modo da ricostruire i due fumetti 'Concorrenza sleale' e 'Come tutto può cambiare'.

1

2

Esercizio 2

Inserisci nei fumetti i dialoghi che sono stati tolti e riportati sotto disordinatamente.

1

(a) – e tra pochi giorni avremo una bella piantina
(b) – vedi? si sotterra il piccolo seme, si copre bene
(c) – Perché mi hai raccontato il finale!
(d) – si annaffia un po'

2

(a) – ci sto lavorando
(b) – bene; fanne duemila copie da distribuire alle guardie
(c) – a che punto è l'identikit del terrorista?

Esercizio 3

Trova per ogni barzelletta la giusta dicitura.

Es. 1-f

(a) – Possibile che tu non ne faccia mai una giusta?
(b) – Sono vostri?
(c) – Che cosa vi fa pensare che sareste un ottimo portiere?
(d) – Ti prego Eugenio, non guardarmi attraverso la vaschetta dei pesci.

(e) – Sei tanto diversa da tutte le altre galline che ho conosciuto!
(f) – A quanto pare, la signora Bianchi ha di nuovo messo alla
porta suo marito!

Il monologo inferiore

Lettere all'editore

Prima di leggere le lettere decidi se sei d'accordo o meno con le seguenti affermazioni:

(a) È giusto che sia vietato ai cani di circolare nel centro delle città.

(b) Il traffico, la delinquenza e la sporcizia allontanano i turisti dall'Italia.

(c) Pelliccie, borse di coccodrillo, collane d'avorio sono un grosso danno ecologico.

(d) La pubblicità degli alcoolici dovrebbe essere vietata dalla legge.

(e) Chi fuma avvelena anche te, digli di smettere!

Leggi le lettere qui riportate e fa' gli esercizi 1, 2, 3.

Esercizio 1

Scrivi accanto ad ogni lettera l'affermazione fra quelle riportate qui sopra che tratta lo stesso argomento.

1

Vivere da cani nelle nostre città

Posseggo un cane ma anche chi non possiede animali è rimasto allibito nell'apprendere attraverso il quotidiano *La Sicilia* (di cui allego fotocopia) che il sindaco ha improvvisamente firmato una ordinanza che vieta ai cani di circolare in tutto il centro cittadino ed in molte altre vie principali. A voi i commenti.

Siracusa,
Dorotea Velasco

2

Pellicce di Natale

Si avvicina l'epoca dei regali: scambiamoci pure doni, ma non tali da far morire la natura e i pochissimi angoli di vita superstiti. Chi regala o si regala una borsetta di coccodrillo, una pelliccia di foca, una collana di avorio o di tartaruga certo non pensa di compiere un danno ecologico enorme, creando un vuoto non più colmabile. Tra ogni specie vivente (uomo compreso) esiste una catena invisibile, che dobbiamo finalmente imparare a rispettare se non vogliamo trasmettere ai nostri figli un cielo, un mare, una foresta muti e deserti di ogni forma di vita. Natale sarà più Natale, se nessuna vita sarà stata spenta per una nostra frivola e crudele eleganza.

Graziella Montanari

65

3

Il fumo avvelena

■ Ho letto che il ministero della pubblica istruzione o chi per lui ha preso la lodevole iniziativa di aprire una campagna nella scuola per l'educazione contro i pericoli derivanti dal fumo. Spero che un'analoga iniziativa verrà presa anche dal ministero delle Poste e da tutti gli altri ministeri che gestiscono uffici aperti al pubblico.

Non si tratta in questo caso di educare scolari e studenti, ma di organizzare una specie di corsi di aggiornamento per impiegati e funzionari. In questi uffici, infatti, dove pure fanno bella mostra cartelli che ammoniscono di non fumare, in base alla nota legge del novembre 1975, sono proprio i funzionari e gli impiegati i primi a dare il cattivo esempio, sbuffando boccate di fumo micidiale al di là del vetro separatore dello sportello dove il pubblico fa la coda. E allora diventa ben difficile ricordare ai fumatori di queste code — non ne mancano mai — che chi fuma avvelena anche noi e bisogna dirgli di smettere.

Credo che una più efficace propaganda antifumo potrebbe attuarsi affiancando — bene in vista — alle targhette del divieto, tabelle che riassumano i danni provocati dal fumo alla salute. Come si fa per prevenire gli incidenti stradali.

Pietro Venturelli
Roma

4

Una legge contro l'alcool

■ La radio e la televisione nei loro inserti pubblicitari non fanno che riscoprire il valore esistenziale dell'alcool: «Se vuoi essere felice bevi la mia grappa». Non mancano ovviamente le pubblicità per l'amaro, whisky e prodotti similari. In Italia, si sa, esiste una legge che vieta la pubblicità delle sigarette ritenute dannose alla salute. Anche se questa legge non è rispettata, tuttavia esiste e in qualche modo fa da freno.

La mia proposta è di sollecitare il ministero della Sanità a predisporre un analogo disegno di legge per gli alcoolici, certamente non meno dannosi delle sigarette.

5

Una polizia turistica

■ A Napoli gli albergatori hanno condotto un'inchiesta tra i forestieri apprendendo così — senza sorpresa — che i maggiori difetti della città, che allontanano i turisti, sono il traffico caotico, la sporcizia delle strade e l'insicurezza davanti alla piaga della delinquenza. Difetti, purtroppo, comuni anche al resto del Paese e che vengono opportunamente sfruttati dalle organizzazione turistiche straniere per tentare di rovinare la nostra «industria del sole» e dirottare le correnti turistiche verso altri lidi. Mi sembra opportuno sottolineare allora l'opportunità di una proposta avanzata dalla prima assemblea generale dei «Cavalieri del turismo», tenutasi di recente a Roma. E ciò che vengano istituiti alcuni servizi civili di polizia turistica per contribuire alla prevenzione di fatti spiacevoli che turbano la collettività e feriscono la credibilità e il buon nome dell'Italia.

Esercizio 2 [a]

Scegli una delle lettere e prepara una risposta da spedire al giornale, in cui sia chiara la tua opinione riguardo al problema trattato dall'autore della lettera.

Esercizio 3 [a]

Dividetevi in piccoli gruppi. Scegliete la lettera che più vi interessa, leggetela bene e preparate un resoconto per la classe specificando:
— l'argomento della lettera scelta
— il punto di vista di chi ha scritto la lettera
— i pareri dei membri del gruppo
— la conclusione generale a cui siete giunti

Pubblicitá

La pubblicità delle seguenti pagine è stata tratta da quotidiani e riviste.

Esercizio 1 [a]

Trova per ogni prodotto illustrato la giusta pubblicità (a pagina 70) fra quelle proposte.

[a]

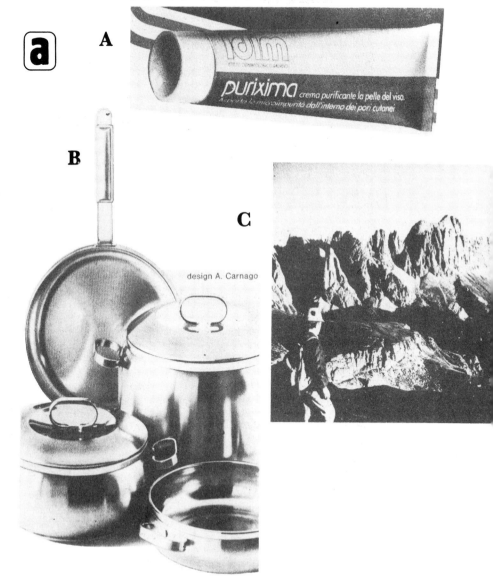

A

B

C

design A. Carnago

D

E

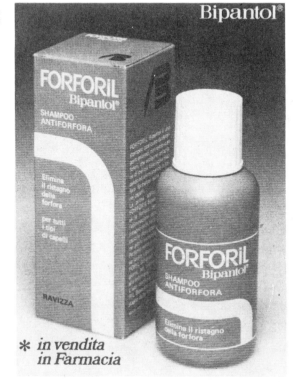

1

C'è una prova certa per capire la validità di una cosa. Sottoporla alla prova del tempo.
Se resiste, se non si modifica o si consuma di fronte all'assalto dei mesi e degli anni, quella, statene certi, è una cosa che "funziona".
Perché il tempo non inganna.

Nel 1965, tra i tanti acquirenti di elettrodomestici ve ne furono altri più esigenti, con più possibilità o soltanto più "pignoli" che, dopo molte valutazioni e confronti, preferirono Constructa.

2 L'Alto Adige è, per vocazione, terra di vacanze vere, alberghi e gastronomia invitanti, natura splendida, paesi e centri storici ricchi di fascino, artigianato raffinato, colore locale vivo, castelli incantati,. gioielli dell'arte gotica, sport all'aria aperta, e sci estivo; chi altro può offrirVi di più?

3

Per la pulizia del viso più vera.
Più di un cosmetico.

Lo smog, la polvere, le cellule morte... sono tanti gli elementi che possono ostruire i pori cutanei, rendendo la pelle del viso grigia, opaca, asfittica. Per purificare a fondo la pelle è necessario intervenire all'interno dei pori.

4

La prestigiosa serie, in acciaio inossidabile satinato e lucido, frutto dell'esperienza di oltre 125 anni di lavoro. Una linea collaudata dalla tradizione e modernizzata dalla tecnica. Fondo triplodiffusore, spessore elevatissimo, manici a minima propagazione di calore, fondo inattaccabile. 15 articoli in 34 misure.

Impiegando Giara si possono abolire acqua e grassi

5

agisce proprio alla radice, dove i capelli sono resi sofferenti dalla forfora. combatte ed elimina il ristagno della forfora e mantiene i capelli morbidi e lucenti.

Esercizio 2 **b**

Prova ad indovinare quale tipo di prodotto reclamizzano le seguenti pubblicità:

A la sportivissima per gli automobilisti dal cuore giovane, che nell'uso quotidiano non s'accontentano di farsi trasportare dalla macchina ma vogliono vivere ogni viaggio come una delle cose piacevoli della vita.

B ## li distrugge tutti, anche quelli nascosti.

Nessun posto è troppo piccolo per gli insetti. Gli scarafaggi possono infilarsi negli angoli più piccoli e più impensati. Lontani dalla vostra scopa e praticamente invisibili.
E rimangono invisibili fino alla sera, quando in piena oscurità escono a "caccia".

C # Irresistibile!

Piccola fuori, grande dentro (24x36 mm.)

è elegante, piccola e leggera.
Sta in un taschino ma scatta grande come una reflex professionale. Sotto il suo ingegnoso guscio protettivo a uovo c'è uno straordinario obiettivo.

D Una verde isola dorata che si crogiola beatamente isolata nelle acque dell'oceano indiano. Niente charter, niente folla. Niente inquinamento. Delle bionde spiagge vergini, delle lagune circondate da palme, una scogliera che protegge le acque dove anche un baby può bagnarsi, limpide come il . . . gin! Una varietà di genti con un sorriso contagioso e splenditamente ospitali, una fantasia di piatti orientali ed occidentali e tutti i divertimenti del mondo.
E inoltre, immersioni fantastiche, pesca d'alto mare, tanti fiori e tanti animali.

b

E   un medicinale per la salute e la bellezza degli occhi quando sono arrossati e stanchi.

F

Linea Cupra: una tradizione che non cambia musica
dai tempi del Charleston, il modo più naturale di nutrire la pelle.

G   Perché fai violenza ai tuoi capelli?

Contro i capelli grassi niente è più efficace della delicatezza.

H   Ecco, si è aperto un capitolo nuovo: hai scelto ..Si.. Ci sono nella tua giornata occasioni e bisogni di muoversi che il ..Si.. può appagare in modo svelto e divertente. ..Si.. filante e robusto, con motore pulito e silenzioso, per una guida agile e sorridente.

Esercizio 3 **a** **b**

Facendo attenzione al tipo di lingua usato negli annunci pubblicitari, prova a decidere a chi è indirizzato ogni prodotto.

Esercizio 4 **a**

Prepara la pubblicità per il prodotto qui illustrato mettendo in evidenza:
— a chi è indirizzato il prodotto
— vantaggi del prodotto
— quantità di persone che ne fanno già uso
— risultati dati dall'uso del prodotto
— qualsiasi altra informazione che possa convincere il consumatore

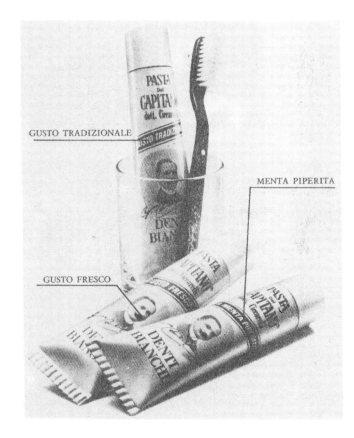

GIOCHI 2

Gioco 1

Inserisci verticalmente le parole ottenute dalle definizioni.
Orizzontalmente si leggerà il nome di un famoso pittore
italiano.

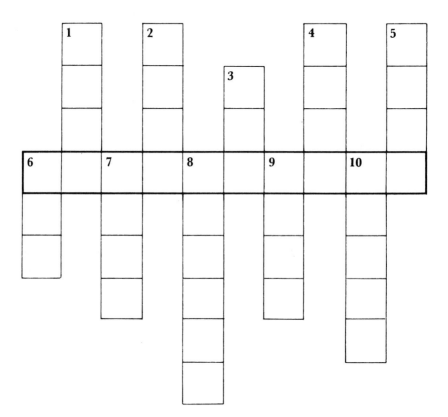

Definizioni

1. Elemento fondamentale di una costruzione.
2. Ne ha tanti chi è vecchio.
3. Nota musicale.
4. Nome di donna.
5. Uomini piccoli.
6. Appartiene a me!
7. Formano la mano.
8. Un fiore bianco.
9. ...., oggi, domani.
10. Il padre di mio padre.

Gioco 2

Completa le seguenti barzellette scegliendo per ognuna il giusto finale!

(a) Una mosca ed un elefante attraversarono un ponte . . .

(b) Un giovane artista dice al direttore di uno spettacolo musicale: 'Io sono il migliore imitatore di versi di animali, del mondo . . .

(c) 'Mi vuoi dire perchè stai facendo le boccacce a tuo padre?' . . .

(d) 'Mi dia una bistecca' – ordina una giovane donna al macellaio. 'Grande o piccola?' . . .

1 . . . vi faccio un esempio: quando io imito il canto del gallo il sole si alza!'

2 . . . 'Perchè il babbo sta pulendosi gli occhiali!'

3 . . . 'Non ha nessuna importanza . . . devo farla bruciare affinchè mio marito mi porti al ristorante!'

4 . . . 'Hai visto come l'abbiamo fatto traballare!' – dice la mosca all'elefante.

Prova a ripetere velocemente senza sbagliare . . .

TRENTATRÉ TRENTINI ENTRARONO IN TRENTO TUTTI E TRENTATRÉ TROTTANDO!

Soluzioni

Unità 1

Esercizio 1
(a) Dagli Umbri, dagli Etruschi e dai Romani (b) Anfiteatro Romano, Tempio di Minerva, Basilica, il Duomo, la Rocca Maggiore, la Chiesa di S. Chiara, la Chiesa di S. Pietro, l'Eremo delle Carceri (c) Gli affreschi attribuiti a Giotto a Cimabue e a Simone Martini (d) Sul turismo ed alcune industrie (e) In primavera (f) Pronto soccorso: 812208/812245; Carabinieri: 813088 (g) Vigili del fuoco: 812222 (h) In piazza del Comune

Esercizio 3
1–i 3–f 4–h 5–d 6–b 7–l 8–e 9–g 10–c

Esercizio 4
(a) Si (b) 1, 3 (c) Due (Roma Tiburtina e Roma Termini) (d) No (e) Ristorante o self-service, carrozza cuccette 1a e 2a classe

Esercizio 5
Mostre: Archivio Vaticano; Pittura cinese contemporanea; Cartoline illustrate; Michael Graves – Progetti 1977–1981
Musica: Concerto strumentale e vocale di musiche di L. Perosi
Visite guidate: Scavi di Ostia Antica; Galleria Nazionale d'Arte Moderna.
Mostre mercato: Porta Portese; via Sannio
Manifestazioni: Meeting sportivo L. Petroselli; Campionato individuale di scacchi
Incontri culturali: Attività solare oggi e nel passato; Aspetti psicologici nel rapporto di coppia e nella famiglia; Problema della conservazione e del restauro

Esercizio 6
(a) Pittura cinese contemporanea; Michael Graves
(b) Maratona, pallavolo, ping-pong
(c) Porta Portese (animali), Porta Portese/via Sannio (oggetti per la casa), via Sannio (dischi)
(d) Quando il fiume sarà in piena
(e) £ 13.000
(f) Centro di Psicologia Scientifica

Unità 2

Esercizio 1
a–8 b–18 c–14 d–20 e–9

Esercizio 4
b–2 c–3 d–1 e–6 f–4

Unità 3

Esercizio 2
(a) *L'Hotel Michelangelo* è di III categoria e si trova in piazza Piave n. 3. In quasi tutte le camere c'è acqua corrente calda e

fredda e telefono urbano. Il riscaldamento è centralizzato. L'albergo dispone di bar e ristorante. Il numero del centralino telefonico è 268533.

(b) *L'Hotel Londra* è di I categoria e si trova in via Iacopo da Diacceto 16/20. In quasi tutte le camere c'è acqua corrente calda e fredda ed aria condizionata, telefono urbano ed apparecchio radio. Il riscaldamento è centralizzato. L'albergo dispone di ascensore, ristorante, bar, autorimessa, parcheggio custodito, auto alla stazione, parco. L'albergo è accessibile agli handicappati e si accettano cani e piccoli animali domestici. Il numero del centralino telefonico è 262791.

(c) *La Residenza Universitaria* è di quarta categoria e si trova in viale Minzoni n. 25. In quasi tutte le camere c'è acqua corrente calda e fredda. Il riscaldamento è centralizzato. La Residenza Universitaria dispone di ascensore e ristorante. E' accessibile agli handicappati. Il numero del centralino telefonico è 576552.

(d) *L'Hotel Mediterraneo* è di II categoria e si trova in Lungarno del Tempio n. 44. In quasi tutte le delle camere c'è acqua corrente calda e fredda e telefono urbano. Il riscaldamento è centralizzato. L'albergo dispone di ascensore, ristorante, bar, autorimessa, auto alla stazione e parco. L'albergo è accessibile agli handicappati e si accettano cani e piccoli animali domestici. Il numero del centralino telefonico è 672241.

Unità 4

Esercizio 2
(b) Pensione (c) Presalario (d) Mancia (e) Salario (f) Acconto
(g) Riscatto (h) Stipendio (i) Tassa (l) Tariffa

Esercizio 4
1 Dentista 2 Hostess 3 Falegname 4 Cuoco 5 Cantante

Unità 5

Esercizio 1
(a) Da £ 18.000 a £ 21.000 (b) 812424 (c) Via Eremo delle Carceri (d) Del Viaggiatore, La Fontana – da Carletto, Taverna dell'Arco, Umbra, Barzanti (e) Buca di S. Francesco (f) Umbra

Esercizio 2
(a) La Cantina (b) Pozzo della Mensa (c) Buca di S. Francesco
(d) Cursula, la Cantina

Esercizio 3
(a) Assisi, Bologna (b) La Stalla: 8 persone; Trattoria Tony: 3 persone (c) £ 800 (d) Due (e) £ 35.700

Esercizio 4
(a) Lessare (b) Scolare (c) Terrina (d) Amalgamare
(e) Superflui

Esercizio 5
b–4 c–1 d–2 e–3

Esercizio 6
Frutta : albicocca, dattero, anguria, susina, fragole
Verdure : carciofo, sedano, cetriolo, ravanello, melanzana,
spinaci
Erbe aromatiche : origano, rosmarino, basilico, salvia, prezzemolo,
menta

Unità 6

Esercizio 1
(a) Capitol l, Fossolo (b) Angi Vera, Oltre il giardino, Una notte
d'estate (c) No. Tutti gli altri film (d) All'Arena del Sole. Alle
22,30. (e) L. Comencini (f) Comico. A. Sordi.

Esercizio 2
(a) Blues, rock, jazz, lirica (b) Il 15, il 17, il 19 (c) Mestre,
Orchestra Ensemble di Venezia (d) Falstaff, a Milano; il
Trovatore a Torino, Genova e La Spezia; I due Foscari a Roma
(e) A Milano il 14, a Padova il 15, a Varese il 16, a Roma il 18,
a Firenze il 19

Esercizio 4
(b) Teatro, cinema, sala da concerti (c) Clarino, flauto,
sassofono (d) Recitare, cantare, mimare (e) Commedia,
tragedia, farsa (f) Regista, produttore, attore

Unità 7

Esercizio 1
Vacanze sulla neve – luogo di destinazione: Marilleva; agenzia:
Valtur; prezzi: £ 510.000/715.000
Soggiorni studio – luogo di destinazione: Cambridge; prezzi: da
£ 1.200.000 a £ 1.760.000; durata del soggiorno: da 15 a 29 giorni
Vacanze a Londra – luogo di destinazione: Londra; agenzia:
Travel Mondial; prezzi: da £ 425.000 a £ 900.000; durata del
soggiorno: giorno 4, 5, 6, 8.
Crociere – agenzia: International Travel; prezzi da £ 2.200.000
a £ 3.400.000; durata del soggiorno: 13 giorni
Isole – luogo di destinazione: Bahamas; agenzia Airtour; prezzi:
da £ 2.320.000 a £ 2.390.000; durata del soggiorno: 12 giorni.

Esercizio 2
(a) Marilleva (b) Londra in economia (c) Cambridge (d)
Stella Solaris (e) Bahamas

Esercizio 5
(a) Vero (b) Falso (c) Falso (d) Vero (e) Falso (f) Vero

Giochi

Gioco 1
ORIZZONTALI: 1 Co 5 Alle 7 Ro 8 Stanco 9 Aria 11 Ec
12 Etto 13 Do
VERTICALI: 1 Casa 2 Oltre 3 Cena 4 To 6 Laico 7 Rotto
10 Con 12 Ed

Gioco 2
Regione: Calabria Città: Roma Mese: ottobre Bevanda: caffè
Animale: ippopotamo Continente: Europa Fiore: rosa
Uccello: allodola
Soluzione: CROCIERA

Gioco 3
b–5, c–1, d–4, e–3, f–2

Unità 8

Esercizio 1
B–6, C–4, D–1, E–5, F–3

Esercizio 2
Lettere: F Pubblicità: C Notizie dall'estero: D Spettacoli: B
Sport: A Radio/T.V.: E

Esercizio 3
(a) Falso (b) Falso (c) Falso (d) Falso

Esercizio 4
Titoli originali:
A PAGATO 300.000 STERLINE DISEGNO DI REMBRANDT
B SQUILIBRATO DIRIGE OSPEDALE PER DUE GIORNI
C TRAVERSATA DELL'AMERICA IN SEDIA A ROTELLE

Unità 9

Esercizio 1
a–B b–D c–E

Esercizio 2
a–F b–C c–A,E

Esercizio 3
(a) Falso (b) Falso (c) Vero (d) Falso (e) Vero (f) Vero
(g) Falso

Esercizio 4
svolge costata arrivati affollato aperta partecipato presente
consegnato coniare

Unità 10

Esercizio 1
T.V. 1: (a) 12.30 (b) Paul Annett (c) 13.25 19.45 23.35
           (d) Le ragioni della speranza
T.V. 2: (a) Scuola aperta (b) Sabato sport; TG2 Dribbling
           (c) Interprete del film 'Indagine di un cittadino al di
               sopra di ogni sospetto' (d) Due puntate
T.V. 3: (a) Tom e Jerry, disegni animati (b) Una volta
           (c) B. Hepton J. Francis A. Harris (d) Da due anni

Esercizio 2
(a) Radio 2, ore 21, 'I concerti di Roma'
    Radio 3, ore 6, 'Preludio'
    Radio 3, ore 6.55 'Il concerto del mattino'

(b) Radio 1, ore 6.44, 'Panorama parlamentare'
Radio 2, ore 15.30 'GR2 Economia'
Radio 3, ore 10. 'Il mondo dell'economia'
(c) Radio 1, ore 13.20 'Mondo motori'
Radio 3, ore 15.18, 'Contro sport'
(d) Radio 1, ore 12.30 'Cronaca di un delitto'

Esercizio 3
b–5 c–2 d–6 e–4 f–1

Esercizio 5
(a) Falso (b) Falso (c) Vero (d) Vero (e) Falso (f) Vero

Unità 11

Esercizio 1
B–1 C–2 D–5 E–6 F–4 G–7

Esercizio 2
a–2 b–3 c–1 d–6 e–4,5 f–7

Esercizio 3
(a) Jean-Pierre Jabouille (b) Sono stati tagliati cavi telefonici,
collegamenti radiotelevisivi, distrutti banchi del bar e banco
frigorifero (c) Perché ha perso la finale del torneo ed è stato
multato (d) Holmes (e) Meno squadre; 6 anziché 8
(f) vandalismo o gesto collegato alla bocciatura di Cortina alle
Olimpiadi invernali (g) Perso

Esercizio 5
(b) tenere (c) sostenere (d) mantenere (e) contengono
(f) trattenerci (g) ritengo

Unità 12

Esercizio 1
(a) Falso (b) Vero (c) Falso (d) Vero (e) Vero (f) Vero
(g) Falso

Esercizio 3
a–3 b–1 c–2 d–3 e–2

Unità 13

Esercizio 1
Politica: F. Tana 'L'arco della crisi', G. Andreotti 'Diari 1976 –
1979'
Archeologia: T. Hoving 'Tutankhamon'
Psicologia: S. Freud 'L'interpretazione dei sogni'
Narrativa: P. De Bernadis 'Il giardino dei nonni', U. Eco 'Il
nome della rosa'
Biografie: G. Granzotto 'Annibale'
Sociologia: G. Hawthorn 'Storia della sociologia'

Esercizio 2
(a) L'arco della crisi
(b) Tutankhamon

(c) L'interpretazione dei sogni
(d) Annibale
(e) Il nome della rosa, Il giardino dei nonni

Esercizio 5
Commedie: Il marchese del Grillo
Fantastici e fantascienza: Incubo sulla città incontaminata
Musicali: New York New York
Poliziesco: Complotto di famiglia
Storico: Il Gattopardo

Esercizio 6
(a) Luchino Visconti (b) Lei: cantante; lui: sassofonista
(c) Giornalisti e militari (d) Nella Roma ottocentesca (e) Due coppie; nel 1976

Unità 14

Esercizio 1
1 b-d-a-c 2 b-d-a-c

Esercizio 2
1 b-d-a-c 2 c-a-b

Esercizio 3
2–a 3–b 4–e 5–c 6–d

Unità 15

Esercizio 1
a–1 b–5 c–2 d–4 e–3

Unità 16

Esercizio 1
A–3 B–4 C–2 D–1 E–5

Esercizio 2
A automobile B insetticida C macchina fotografica D turismo
E collirio F cosmetico G shampoo H ciclomotore

Giochi

Gioco 1
1 Muro 2 Anni 3 Sol 4 Anna 5 Nani 6 Mio 7 Dita 8 Giglio
9 Ieri 10 Nonno

Gioco 2
a–4 b–1 c–2 d–3

Finito di stampare
nel mese di ottobre 1989
GUERRA guru - Perugia